DANS LA MÊME COLLECTION

*Ce livre est une cocréation
de la Librairie Ernest Flammarion
et de Arnoldo Mondadori, Editore*

© Flammarion. 1983
ISBN 2-08-091110-4
Printed in Italy by A. Mondadori, Verona

Dépôt légal : mars 1983. N° d'éditeur : 11547

Pauline J. Despois

l'histoire vécue la vie
D'UNE
BALLERINE
à Saint-Pétersbourg vers 1870

illustrations de Edward Mortelmans

éditions
du chat perché
FLAMMARION

Les origines
de la danse et du ballet

Le ballet est généralement défini comme étant une représentation scénique au moyen de la danse, du geste et de la musique. Ces mots évoquent aussitôt les mouvements soigneusement étudiés des danseurs, le fragile équilibre d'une ballerine sur ses pointes, si loin en apparence des bonds désordonnés par lesquels un enfant manifeste sa joie. Pourtant, c'est bien de cette impulsion initiale, de ce besoin irrésistible d'extérioriser son plaisir par des sauts et des cabrioles que dérivent toutes les danses, et donc tous les ballets.

Mais, dans la danse, cette impulsion n'est pas livrée au caprice désordonné; elle obéit à un rythme. On peut dire que la première danse est née dans la nuit des temps, lorsqu'un homme de la préhistoire a exécuté un ensemble de pas sur une cadence donnée par un chant — ou même plus simplement sur des battements de mains ou des appels de pied en mesure — pour témoigner sa joie, son amour ou sa tristesse.

Puis, avec le développement du sentiment religieux, les danses parfois individuelles, et plus encore collectives, ont servi d'expression à la prière humaine. On remerciait ainsi les forces de la nature qui donnaient la lumière du jour et les récoltes abondantes. Certaines de ces danses primitives subsistent encore dans un grand

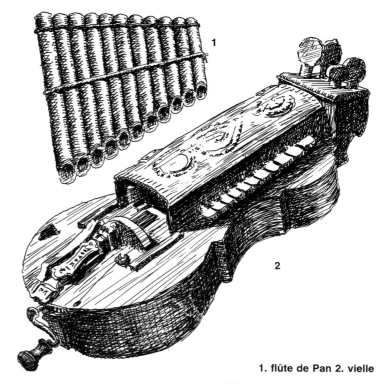

1. flûte de Pan 2. vielle

nombre de pays, bien qu'elles aient perdu dans la plupart des cas leur coloration religieuse. Ainsi les rondes autour des bûchers, la nuit de la Saint Jean qui est la plus courte nuit de l'année dans l'hémisphère nord, sont-elles les vestiges d'un culte solaire qui a commencé avec les débuts de l'humanité; c'est pourquoi, depuis des millénaires, elles reproduisent le cercle qui est l'emblème universel du soleil.

D'autres danses, plus savantes, mimaient des activités humaines : la guerre, la chasse, la culture de la terre. S'agissait-il de jeux ou d'actes rituels? Nos ancêtres voulaient-ils simplement se distraire ou cherchaient-ils ainsi à s'assurer d'avance la victoire sur leurs ennemis, un gibier facile ou de belles moissons? Nous l'ignorons. Mais ce qui est important, c'est que déjà, à ce stade très ancien, nous voyons apparaître une représentation, un spectacle donné sur un thème par un groupe de danseurs : c'était l'embryon du ballet.

De même, dans la Grèce primitive, tandis que les prêtres chantaient la vie des divinités, leurs accompagnateurs, les acolytes, dansaient en mimant les événements au fur et à mesure que le récit se déroulait. Ce mode d'expression fut par la suite repris par les aèdes, chanteurs ambulants, qui se déplaçaient de cité en cité, accompagnés de mimes-danseurs pour célébrer, à l'aide du chant, de la danse et du geste, les exploits des héros de l'Iliade ou de l'Odyssée. Puis apparurent les tragédies grecques avec leurs règles si précises. Chacune d'elle comportait en particulier un chœur dont le rôle était d'amplifier l'action de la pièce et de servir d'intermédiaire entre les acteurs principaux et les spectateurs au moyen de leurs chants et de leurs gestes. Ainsi, le chant, le mime et la danse s'étaient-ils détachés de leur origine et de leur but religieux pour ne plus composer qu'un spectacle par eux-mêmes.

Mais c'est la Renaissance italienne, et en particulier celle du nord de l'Italie, qui donna au ballet ses lettres de noblesse. Dès le XVe siècle, les grandes familles qui gouvernaient Milan, Mantoue, Florence ont célébré tous les événements importants par des mascarades allégoriques, des bals costumés et des spectacles de danse. Notamment à Florence et dans la famille des Médicis, ces réjouissances étaient particulièrement somptueuses et réussies grâce au concours des plus grands peintres de l'époque qui dessinaient les costumes, et à celui des architectes et des ingénieurs qui inventaient et confectionnaient toutes sortes de trucs et d'effets scéniques.

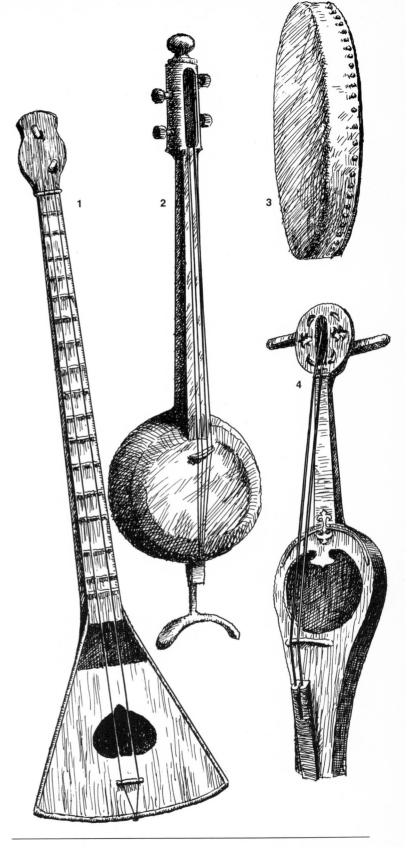

Instruments folkloriques : 1. *domra* 2. *kemanje* 3. tambourin 4. *kiyak*

Depuis des temps immémoriaux, il existait en Russie des troupes de baladins appelés *skomorokhi;* ces « amuseurs » ambulants exerçaient leur art de village en village, lors des noces paysannes ou autres célébrations; certains jonglaient ou montraient des animaux savants, d'autres jouaient de la musique comme cette troupe d'Ukrainiens (à gauche) qui accompagne des danses russes traditionnelles; parfois, des danseurs professionnels se joignaient à eux.

Les ballets de Cour

Lorsque Catherine de Médicis quitta Florence, en 1533, pour épouser le futur Henri II, elle amena en France la mode des mascarades et surtout des divertissements allégoriques.

Depuis longtemps en effet, et pendant longtemps encore, tous les divertissements de cour, donnés à l'occasion d'un mariage royal ou princier, d'une victoire nationale, de la visite d'un souverain allié ou de ses ambassadeurs, etc., étaient destinés à faire passer des messages politiques. Ainsi, alors que les guerres de religion déchiraient la France des derniers Valois, on symbolisait cette situation en représentant le royaume sous les traits d'une femme en deuil que cherchait à dévorer une hydre à sept têtes. Un peu plus tard, lors du départ pour la Pologne du duc d'Anjou — futur Henri III —, la dévotion de la France pour son jeune prince, nouvellement élu roi de Pologne, fut symbolisée par un ballet dont chaque personnage représentait une province française. Un troisième exemple de spectacle allégorique, qui prouve bien que la tradition s'en est longtemps conservée, est offert par *les Indes Galantes,*

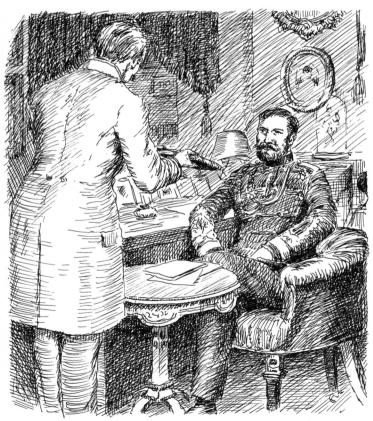

opéra-ballet de Rameau composé en 1735 à la gloire du Nouveau Monde.

Mais le modèle du genre demeure *le Ballet Comique de la Reine,* créé en 1581 à la demande de la reine Louise de Vaudémont, épouse d'Henri III, lors du mariage de sa sœur, Marguerite de Vaudémont, avec le duc de Joyeuse, favori d'Henri III. (Ce mariage donna lieu à plusieurs jours de festivités variées qui frappèrent l'imagination des contemporains; elles furent désignées sous le nom de « Noces de Joyeuse »; il est curieux que la reine se soit adressée pour créer ce ballet à un dénommé Beaujoyeux.) Ce Balthazar de Beaujoyeux était un Italien venu se fixer en France vers 1555, qui faisait partie de la maison de la reine-mère Catherine de Médicis. C'est lui qui réglait généralement les divertissements de la cour et il se surpassa à cette occasion.

Ce ballet, réglé suivant les traditions florentines, dura cinq heures au cours desquelles la jeune reine dansa ainsi que la nouvelle mariée et bon nombre de grandes dames et de courtisans. Il avait pour thème l'histoire mythologique de la magicienne Circé, et pour symbole allégorique le triomphe du bon sens, de l'harmonie et de la raison, amenant la réconciliation des catholiques et des protestants.

Vsévolojski fait hommage au Tsar d'un exemplaire relié d'un ballet nouveau.

Bientôt, dans toutes les cours grandes et petites d'Europe occidentale, de Prague à Londres, le ballet truffé d'allégories politiques se répandit, et tous les souverains se transformèrent en impresarii, et parfois même en danseurs. A la cour des Stuarts, par exemple, le fameux dramaturge Ben Jonson et le grand architecte Inigo Jones furent chargés pendant vingt-cinq ans de créer des divertissements allégoriques prônant l'absolutisme royal.

En France, les Bourbons n'eurent garde d'interrompre la tradition instaurée par leurs prédécesseurs. Bien plus, sous le règne de Louis XIII, les plus grands personnages de l'État — roi, maréchaux ou ministres — n'hésitèrent pas à participer aux spectacles.

Mais le plus illustre et le plus passionné des danseurs amateurs fut Louis XIV, en sa jeunesse. Lulli composa pour lui des ballets dans lesquels il assumait plusieurs rôles, masculins ou féminins. Ainsi, dans *les Noces de Thétis et Pélée,* il apparut successivement en Apollon, en Furie, en dryade et en guerrier. Il participa également à la comédie-ballet *le Mariage Forcé,* écrite par Molière et agrémentée d'une musique de Lulli. On dit que le Roi Soleil excellait dans les entrechats. A ses côtés évoluaient en cadence son frère, le duc d'Orléans,

sa belle-sœur, Henriette d'Angleterre et leur cousine, la massive Grande Mademoiselle.

C'est également à Louis XIV que l'on doit la fondation, en 1669, de l'Académie Royale de Musique et de Danse, ancêtre de l'Opéra de Paris, qui joua un rôle très important dans l'histoire de la danse en permettant le développement du ballet classique.

Au début du XVIIIe siècle, on vit apparaître les premières grandes danseuses dont les noms sont restés célèbres, comme la Camargo et la Guimard, ainsi que Mademoiselle Sallé qui était aussi bonne mime que bonne danseuse.

La cour de Russie n'était pas en reste sur celle de Versailles. Cela commença dès le XVIIe siècle où la princesse Sophie, fille du Tsar Alexis et sœur de Pierre le Grand, composa elle-même plusieurs opéras-ballets et comédies-ballets. Sa nièce, l'Impératrice Élisabeth, qui adorait la danse, et qui de surcroît avait de fort jolies jambes, dansait fort souvent habillée en homme — à l'inverse de Louis XIV; son déguisement préféré était un costume de matelot hollandais en souvenir de l'époque où son père, Pierre le Grand, travaillait dans les docks du port d'Amsterdam, habillé en marin. Le Tsar Paul Ier, lui aussi, monta parfois sur la scène, comme Louis XIV.

Petipa donne des instructions au compositeur Tchaïkovski.

L'apparition du ballet en Russie

Il semble que certains pays soient, plus que d'autres, habités par le génie de la danse. En ce cas, on peut bien dire que la Russie est une de ses terres de prédilection et que la danse y est née spontanément. Ainsi on a trouvé en Ukraine des statuettes datant de plusieurs siècles avant notre ère et représentant des danseurs dans cette pose amplement connue de tout le monde : assis sur leurs talons, se tenant sur la pointe des pieds et prêts à sauter en étendant une jambe, puis l'autre.

Sans remonter aussi loin, on peut dire qu'il existait plusieurs sortes de danses populaires, certaines lentes, généralement réservées aux femmes, d'autres rapides, entremêlées de sauts et de cabrioles, exécutées par les hommes. Et chaque fête de village offrait un prétexte à danser.

On trouvait ainsi des danseurs et danseuses professionnels dans des troupes d'artistes ambulants ou dans des compagnies entretenues par les princes et les boyards. Les artistes ambulants eurent parfois la vie dure, surtout à partir du XVIe siècle, lorsque le clergé les mit au ban de la société, leur interdisant de danser près des églises ou lors des mariages. Mais ces prohibitions n'empêchèrent jamais les tsars et les princes de faire venir des baladins à leur cour.

Ce sont les tsars de la dynastie des Romanovs qui ont introduit en Russie les ballets occidentaux et parallèlement développé la formation de danseurs susceptibles d'exécuter ces ballets. Le premier ballet « à la française » fut commandé en 1673 par le Tsar Alexis.

Quant à l'enseignement de la danse classique, après deux tentatives brillantes, mais éphémères, faites par les Tsars Michel et Alexis, c'est à la Tsarine Anna Ivanovna que revient l'honneur d'avoir créé l'école de danse de Saint-Pétersbourg. En effet, elle avait fait venir, en 1734, le maître de danse français Jean-Baptiste Landé, mais dans le seul but de donner des leçons de danse aux cadets de l'école militaire impériale, afin qu'ils puissent donner des spectacles à la cour. Landé remarqua les dons innés des jeunes Russes et il pensa que si quelques heures d'entraînement par semaine donnaient d'aussi bons résultats, un enseignement méthodique et intensif formerait d'excellents danseurs. Il proposa donc à la Tsarine d'ouvrir une école comportant un enseignement de trois ans pour douze filles et douze garçons.

L'Impératrice acquiesça et choisit les élèves parmi les enfants de ses domestiques. L'école fut installée au Palais d'Hiver de Saint-Pétersbourg et Landé fut assisté dans son enseignement par un autre Français, Lebrun, et par un Italien, Fusano. Ainsi les deux peuples dont les efforts conjugués avaient permis la créations du ballet en Occident, présidèrent-ils également à la naissance de la danse classique en Russie.

En 1773 s'ouvrit à Moscou une autre école de danse classique dont les élèves furent recrutés parmi les orphelins pauvres recueillis par la ville. Elle donna naissance à la célèbre troupe du Bolchoï. Enfin, il ne faut pas oublier les « théâtres de serfs », troupes parfois importantes de comédiens, chanteurs et danseurs dont les membres présentaient la particularité d'être des serfs, appartenant à de riches particuliers qui les faisaient former à leurs frais par des professeurs souvent venus de l'étranger. Parfois le propriétaire de la troupe se ruinait et il vendait alors les artistes à un autre amateur ou à un théâtre impérial.

Si les danses populaires russes, accompagnées d'une vielle aigrelette et d'un simple tambourin, étaient très appréciées sur la place d'un village ou dans une cour de ferme, il n'était pas rare d'en applaudir aussi, lors des grandes soirées, dans un salon somptueux, devant un public choisi, aux sons d'un quatuor distingué.

Les théâtres de Saint-Pétersbourg

La première salle ouverte au public — par opposition aux théâtre privés réservés à la famille impériale et aux privilégiés — était le théâtre de ballet et d'opéra créé en 1756 par Locatelli au Jardin d'Été de Saint-Pétersbourg. Tout le monde pouvait y aller à condition de payer sa place. Quant au répertoire, il était calqué sur les ballets représentés dans les salles privées, avec prédominance d'œuvres italiennes.

Un siècle plus tard, Saint-Pétersbourg comptait déjà plusieurs théâtres consacrés au ballet.

Le plus grand d'entre eux, le Bolchoï Kammeny (c'est-à-dire le « Grand Théâtre de Pierres » — qu'il ne faut pas confondre avec le Bolchoï de Moscou) avait subi bien des avatars, depuis son ouverture, le 5 octobre 1783. Comme beaucoup d'autres monuments publics, il fut détruit à plusieurs reprises par l'incendie (risque que l'introduction de l'éclairage au gaz, au début du XIXe siècle, ne fit qu'aggraver); on profita de chaque reconstruction pour apporter des perfectionnements, à la scène comme à la salle. C'est ainsi notamment qu'en 1836, afin de permettre le développement de la machinerie, le plafond fut considérablement rehaussé par le grand architecte de l'époque, Alberto Cavos. Il

faut noter que Cavos était particulièrement qualifié pour concevoir l'aménagement d'une salle de musique et de danse, puisqu'il était le fils d'un compositeur et chef d'orchestre vénitien, émigré en Russie; un de ses petits-fils, le peintre Alexandre Benois, devait à son tour se consacrer à cet art comme décorateur de nombreux ballets de Diaghilev.

La salle, qui pouvait dès l'origine contenir deux mille personnes, était empreinte de la solennité compassée qui était de mode à cette époque. Ni l'or, ni le velours rouge n'avaient été épargnés. Dorées étaient les guirlandes et les arabesques qui couvraient les murs, dorés aussi les cadres des médaillons blancs qui ornaient l'extérieur des loges; rouge était le velours des sièges ainsi que celui qui garnissait le rebord des balcons. Doré était l'immense aigle à deux têtes qui surmontait l'énorme loge impériale, haute de deux étages, disposée face à la scène; velours rouge et franges d'or pour les tentures qui l'encadraient. Quant aux rideaux de scène, ils représentaient des vue du palais de Péterhof, avec ses toits peints en vert, ses fontaines et ses statues.

Les cochers qui attendaient leurs maîtres n'avaient pas été oubliés et l'on s'était efforcé de leur offrir un

confort relatif en construisant, sur la place qui s'étendait devant le théâtre, six vastes pavillons où d'énormes feux brûlaient continuellement, afin de leur permettre de se chauffer jusqu'à l'heure de la sortie des spectateurs.

Le Bolchoï Kammeny eut, au XIXe siècle, une très grande importance puisqu'il fut le centre du ballet russe jusqu'en 1889, date à laquelle il fut abandonné par mesure de sécurité et supplanté par le Maryinski ou Théâtre Marie.

Celui-ci avait été construit en 1860 par le même Alberto Cavos et, malgré sa grandeur, il avait échappé à l'air gourmé du Bolchoï Kammeny. Cavos avait réussi à créer une atmosphère intime et presque douillette en choisissant, pour l'orner, des couleurs douces : crème relevé d'or pour les murs et les balcons, bleu Nattier pour le velours des sièges et les rebords; la salle était éclairée par un immense lustre de cristal taillé. Le théâtre Marie abrita la troupe du ballet russe de 1889 à 1939.

On donnait aussi des spectacles de ballet dans des théâtres de moindre importance comme le Mikhaïlovski et l'Alexandrinski.

(à gauche) **théâtre Alexandrinski**

(à droite) **cathédrale Saint-Nicolas**

(en haut) **quai de la Néva et Palais d'Hiver**

13

A Moscou — Chez le Tsar — En province

En 1759, Locatelli ouvrit également à Moscou un théâtre d'opéra et de ballet sur le modèle de celui qu'il avait fondé à Saint-Pétersbourg, mais il n'eut aucun succès et renonça très vite.

Par contre, un Anglais naturalisé Russe, Michel Maddox, fut plus heureux. Il s'associa avec le prince Ourousov, grand amateur de spectacles, qui avait obtenu une licence d'exploitation d'un théâtre public. Maddox était arrivé en Russie vers 1770 pour y présenter des « merveilles mécaniques et physiques ». La licence du prince leur servit à faire aménager le théâtre Pétrovski qui fut considéré comme le théâtre le mieux agencé d'Europe. Grâce à sa machinerie perfectionnée, Maddox put éblouir le public moscovite de ses « merveilles » mécaniques, qui n'étaient autres que des trucages et des effets scéniques.

Alors que les spectacles présentés à la Cour et même ceux montés par Locatelli étaient d'origine française ou italienne, les ballets choisis par l'Anglais Maddox avaient pour la plupart des librettistes russes et étaient basés sur des sujets folkloriques : foires, carnavals populaires, fêtes traditionnelles russes, etc. Une autre particularité était le caractère comique, et parfois bouffon, de ces représentations.

Le Pétrovski avait une capacité de huit cents spectateurs, avec trois rangs de loges, un paradis pour les peu fortunés, et un parterre qui comportait plusieurs rangées de fauteuils pour les privilégiés derrière lesquels s'étendaient vingt rangs de banquettes.

Le théâtre Pétrovski fut ravagé par un incendie, le 22 septembre 1805. Cependant il renaquit de ses cendres lorsque l'architecte Bovet en utilisa les fondations et une partie des murs pour édifier le premier Bolchoï de Moscou. Celui-ci était un immense monument, de style empire, dont le portique à colonnes était surmonté d'un gigantesque groupe en bronze représentant Apollon conduisant un char tiré par quatre chevaux.

Ce deuxième bâtiment brûla à son tour, le 11 mars 1853 et il fut rebâti cette fois-ci par Alberto Cavos à qui les théâtres incendiés donnaient décidément beaucoup de travail. Cavos replaça, sur le nouvel édifice, le groupe en bronze que l'on peut encore y voir aujourd'hui.

L'énorme salle — qui contenait quatre mille places — était décorée en blanc et or et comportait cinq étages de balcons.

En dehors des salles ouvertes au grand public, il existait encore un certain nombre de scènes privées. Au

Théâtre Marie

Théâtre Bolchoï, en 1885

XVIIIe siècle, les riches propriétaires qui avaient la leur n'étaient pas rares. Vers la fin du XIXe siècle au contraire elles s'étaient peu à peu réduites aux théâtres de cour aménagés dans les résidences de la famille impériale.

Parmi les séjours impériaux où les ballerines avaient le plus souvent l'occasion de déployer leur art et leur technique, on comptait notamment le palais de Péterhof (le « Versailles-sur-mer » des Tsars) conçu pour Pierre le Grand par l'architecte français Le Blond, élève de Le Nôtre. Deux autres ravissantes salles de spectacles, dues toutes deux à des fantaisies de la Grande Catherine, se trouvaient l'une au Palais d'Hiver de Saint-Pétersbourg, l'autre dans le parc de Tsarskoïé-Sélo.

La première, c'était le petit théâtre de l'Ermitage, chef-d'œuvre de l'architecte italien Quarenghi; on y accédait par une longue galerie de style rococo chinois, dite la Galerie de Peintures. Tandis que la petite salle classique, aux proportions exquises, de forme semi-circulaire, avec des murs blancs auxquels étaient adossées des colonnes de marbre rose, réservée à la famille impériale et à ses invités, donnait une impression d'intimité, la scène n'en était pas moins large et

profonde et elle possédait une machinerie très élaborée qui permettait d'y donner toutes sortes de ballets.

Dans le parc de Tsarskoïé-Sélo, l'Écossais Cameron, un des architectes préférés de Catherine II, avait aménagé au milieu des sapins un « village chinois » de fantaisie où se nichait un petit théâtre rempli de toutes les chinoiseries du XVIIIe siècle : loges ornées de panneaux de laque, chaises rouges et or, lustres de bronze portant des fleurs en porcelaine.

Les soirs où la troupe dansait chez la famille impériale, il y avait pour ainsi dire spectacle réciproque car si l'auguste public voyait le ballet sur la scène, les danseurs ne manquaient pas, eux, de contempler longuement, par le trou du rideau encore baissé, cette assemblée en uniformes chamarrés et en robes somptueuses, toute étincelante de bijoux et de décorations. Ces soirs-là, la représentation était de chaque côté de la rampe.

Enfin, l'été, lorsque les théâtres des grandes villes étaient fermés, des spectacles avaient lieu dans des centres provinciaux, villes d'eau ou de garnison où les salles étaient beaucoup plus rustiques, comme celle de Krasnoïé-Sélo, construite toute en bois.

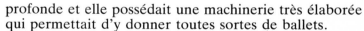

Il existait une rivalité féroce entre les Théâtres Impériaux de Moscou et ceux de Saint-Pétersbourg. En 1848, Hélène Andreianova, grande étoile de Saint-Pétersbourg, avait été invitée à paraître à Moscou, dans le ballet *Paquita*; elle fut si mal accueillie qu'elle reçut même sur la scène un chat crevé, lancé par un Moscovite peu galant. Trois semaines plus tard, c'est Irka Matias, idole des Moscovites, qui dansa le même ballet; ses admirateurs, au lever du rideau, lui lancèrent une pluie de bouquets qui s'amoncela sur la scène à tel point qu'il fallut interrompre la musique pour débarrasser le plateau.

L'envers du décor

Le soir, lorsque s'allumaient les feux de la rampe, tous ces théâtres, vus de la salle, paraissaient accueillants, plaisants et rassurants; ils constituaient pourtant, pour les ballerines, des lieux pleins d'embûches, dont les pièges principaux étaient le froid et les flammes.

Le froid exerçait de véritables ravages dans les rangs des danseuses. La danse est un exercice violent qui échauffe le corps; d'où l'habitude d'avoir à portée de la main, lors des répétitions, un grand châle de laine dans lequel s'enveloppent les danseuses dès qu'elles font une pause. Elles se protègent ainsi des refroidissements, mais, au cours des représentations, là où justement elles risquent d'autant plus de prendre froid qu'elles ont les épaules et les bras nus et que les coulisses sont glaciales et traversées de courants d'air, elles n'ont ni le temps, ni la facilité de s'emmitoufler de lainages, pour ne pas entraver la bonne marche du spectacle.

C'est pourquoi l'on ne compte plus les cas de tuberculose pulmonaire, contractée à la suite de ces changements continuels de température, qui ont emporté des danseuses victimes de leur art, tantôt lentement, comme pour Marfa Muravieva, morte à quarante et un ans, tantôt brutalement comme pour Anastasia Berilova

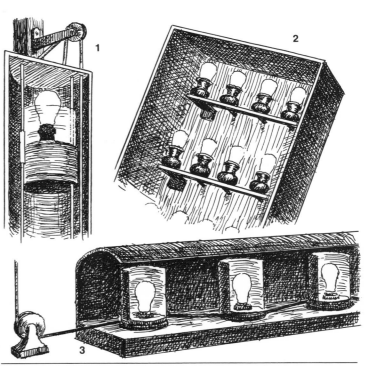

Éclairage électrique primitif : 1. lumière latérale 2. caissette portative 3. rampe électrique (1882)

et Arina Toumanova, deux brillantes danseuses fauchées en pleine jeunesse. La plus touchante de ces victimes fut la jolie Maria Danilova, l'élève de prédilection de Didelot. En vain lui prodigua-t-on les soins, en vain le Tsar lui envoya-t-il son propre médecin; elle mourut à dix-sept ans, en 1810, alors qu'elle s'affirmait déjà comme une grande danseuse.

Pour être moins fréquent, le feu n'exerçait pas moins de ravages que le froid. On sait déjà que de nombreux théâtres ont brûlé, en Russie comme ailleurs, et que, reconstruits, ils brûlaient de nouveau. La cause en était évidemment l'emploi, pour éclairer la salle et la rampe, de chandelles d'abord, puis de gaz. Et tant que l'électricité n'eut pas fait son apparition, les risques d'incendie sont restés immenses.

Et même si l'édifice tout entier n'était pas menacé, un danger continuel pesait personnellement sur les danseuses, chaque fois qu'avec leur tunique de mousseline, elles s'approchaient de la rampe, alimentée au gaz d'éclairage. Un faux pas qui mettait imprudemment l'étoffe légère au contact de la petite flamme transformait la ballerine en une torche vivante qui, si elle ne succombait pas, était affreusement défigurée. Tel fut en 1863 le sort tragique de la Française Emma Livri, morte de ses brûlures, après huit mois d'agonie, à vingt ans.

Certains soirs enfin, les passions exacerbées de toutes les personnes rassemblées dans ce lieu clos qu'était un théâtre — rivalités et jalousies dans la troupe, malveillance et cabales dans la salle — s'échauffaient parfois jusqu'à créer, sur un autre plan, invisible celui-là mais perçu nettement par les danseurs hypernerveux, une autre force dévastatrice qui transformait le théâtre en un véritable chaudron de sorcières. Si ses flammes ne consumaient pas les objets matériels, elles s'attaquaient aux nerfs.

Pour résister à ces bouillonnements, il fallait un équilibre psychique parfait et, lorsqu'un artiste souffrait déjà du trac et du surmenage, il n'en était que plus vulnérable. Les accès de crise de nerfs atteignaient fréquemment au délire. Quant aux cas de folie ou de suicide, il faut remarquer qu'il s'en trouvait plus chez les hommes que chez les femmes; l'on sait que l'un des plus grands danseurs connus, Nijinski, a perdu la raison à l'âge de trente ans. Cela ne veut pas dire que les danseuses étaient toujours épargnées et l'on peut citer en exemple Stanislava Belinska qui fut elle aussi frappée d'insanité.

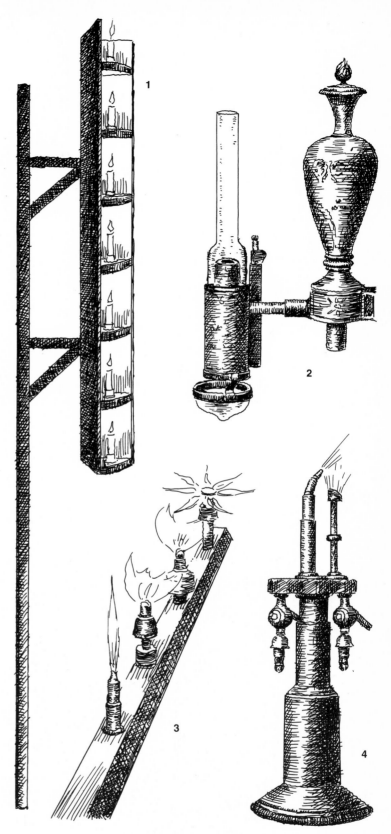

Tant que l'électricité n'a pas été employée couramment comme moyen d'éclairage et de chauffage, les risques d'incendie ont été immenses et l'on peut dire que presque tous les théâtres ont brûlé un jour ou l'autre, en Russie comme ailleurs. Ainsi, après l'incendie qui détruisit, le 26 février 1780, le théâtre Znamenski de Moscou, fut construite une nouvelle salle, celle du Pétrovski, qui brûla à son tour le 22 septembre 1805. Saint-Pétersbourg ne fut pas épargné : le Bolchoï, bâti en 1802, brûla dans la nuit du 1er janvier 1811, et le théâtre Marie fut réduit en cendres le 11 mars 1853.

1. éclairage à chandelles (1700) 2. quinquet (1781) 3. différents éclairages au gaz (1812-1830) 4. éclairage oxhydrique

Effets de scène et machinerie

Pendant tout le XIXᵉ siècle et le début du XXᵉ, le plateau était incliné légèrement du côté des spectateurs afin qu'ils eussent une meilleure vue de l'ensemble. Cela compliquait le travail des danseuses, leur équilibre étant plus difficile à atteindre et à garder. Par des trappes, on accédait aux dessous ce qui permettait, à l'aide de poulies et de treuils, de faire rapidement monter ou descendre certains éléments du décor — pour des changements à vue — ou de faire apparaître ou disparaître des personnages, comme par magie. Le nombre des dessous dépendait de l'importance du théâtre; il pouvait y en avoir jusqu'à six, s'étageant l'un au-dessous de l'autre. Au-dessus de la scène, se trouvaient les cintres où étaient suspendus d'autres éléments que l'on manœuvrait à l'aide de câbles.

Pendant longtemps, le public fut attiré par des effets de scène grandioses (qui nécessitaient à l'époque des procédés mécaniques ingénieux et compliqués, pour obtenir un résultat qui, aujourd'hui, nous semble facile à réaliser grâce aux moyens modernes) tels que batailles, naufrages, vols aériens, châteaux qui s'engloutissent

dans la terre, etc. Un chorégraphe comme Didelot bourrait ses ballets d'effets scéniques; par exemple dans *Cora et Alonzo ou la Vierge du Soleil,* il y avait six décors nouveaux, un lever et un coucher de soleil mécaniques, un tremblement de terre, un volcan en éruption et la destruction du temple du Soleil.

Moins grandiose mais tout aussi décoratif, était le tableau qui constituait le clou de *César en Égypte,* où César voguait majestueusement sur le Nil dans une embarcation. On avait dressé un décor mouvant et l'illusion était parfaite.

Pour manœuvrer rapidement et en silence les trappes, les treuils, les poulies et les contrepoids, il fallait toute une armée de machinistes adroits et robustes. Quand ceux-ci n'étaient pas en nombre suffisant, ils étaient aidés dans leur tâche par des machinistes auxiliaires qui n'étaient autres que les soldats de la garde finnoise du Tsar. Par exemple, lorsque l'on donnait au Théâtre Marie *le Corsaire* qui comportait le naufrage d'un bateau gigantesque, ce sont les soldats de la garde finnoise qui étaient chargés d'agiter violemment de grands morceaux de toile qu'ils faisaient onduler comme des vagues dans la tempête qui allaient se briser sur les flancs du navire en perdition. On

Au XIXᵉ siècle, le décor, ayant souvent recours aux trompe-l'œil et parfois surchargé, était toujours figuratif; les peintres à qui ce travail était confié étaient généralement médiocres; il fallut attendre 1901 pour voir apparaître sur scène des décors de Benois, puis ceux de Bakst en 1903; ce fut alors une explosion d'originalité et de modernisme.

faisait également appel à ces mêmes soldats lors des représentations du *Lac des Cygnes* : postés sous la scène, tenant chacun un long bâton surmonté d'un cygne factice, vingt-quatre militaires manœuvraient ces bâtons, de façon à faire glisser les grands oiseaux blancs sur des toiles peintes représentant les eaux ondulantes du lac. Ceci préparait le public qui, lorsqu'il voyait apparaître sur la scène vingt-quatre jeunes danseuses tout de blanc vêtues, comprenait qu'il s'agissait d'une métamorphose.

Une fois le ballet terminé, les soldats machinistes du Tsar se formaient en colonne et quittaient le théâtre au pas cadencé comme s'ils revenaient d'une parade.

L'éclairage de la scène avait considérablement varié entre 1830 et 1910. Lorsque le gaz vint se substituer aux chandelles pour éclairer les théâtres, ce fut un grand progrès car on pouvait, en haussant ou en baissant la flamme, obtenir des variétés d'intensité lumineuse que ne permettaient pas les chandelles. Grâce au gaz d'éclairage, on put simuler le clair de lune, inséparable des ballets romantiques tels que *la Sylphide* et *Giselle*. Plus tard encore, l'électricité donna la possibilité de passer par toutes les gammes de couleur et d'intensité, depuis la lumière diffuse jusqu'à la tache éblouissante du projecteur.

(à gauche) **Un diable monte par une trappe, au milieu d'un nuage de fumée.**

(ci-dessus) **Suspendue par un câble, la Grisi, en plein vol, se précipite vers Petipa (dans *la Péri*).**

Le Conservatoire impérial de Saint-Pétersbourg

C'est généralement vers l'âge de sept ou huit ans que les fillettes étaient présentées par leurs parents à l'examen d'entrée de l'école impériale, qui avait lieu au mois d'août.

Il arrivait souvent que ces jeunes postulantes fussent elles-mêmes filles de danseurs ou de musiciens — le père de Mathilde Kschessinska était le danseur Félix Kschessinski, et celui de Tamara Karsavina était le professeur de danse Platon Karsavine. Par contre, d'autres fillettes étaient tout simplement issues de familles modestes, ou même pauvres, que leurs parents voulaient faire prendre en charge par le Tsar pendant tout le temps que durerait leur éducation. Tel était le cas d'Anna Pavlova, fille d'une blanchisseuse, qui devait devenir l'idole du monde entier, jusqu'à sa mort en 1931.

Au petit matin, les candidates se présentaient à l'école, généralement accompagnées de leur mère, pour y subir avant tout un bref examen médical : muscles, colonne vertébrale, cœur, poumons, oreilles.

Elles étaient ensuite appelées par petits groupes dans la salle d'audition où siégeait la commission d'admission composée de danseurs, de maîtres de ballet et de professeurs. Elles attendaient leur tour en tremblant, saisies pour la première fois du trac qui accompagne bien souvent toute la vie des artistes. On les faisait d'abord marcher pour juger de leur allure et de leur posture. On en désignait quelques-unes que l'on envoyait dans une autre salle; elles ne savaient pas si c'était un bon ou un mauvais signe. Après une attente longue et pénible, on les faisait revenir pour les observer de nouveau, leur faire chanter une gamme et déchiffrer de la musique. Ce n'est qu'à la fin d'une journée fatigante que les résultats de l'examen étaient proclamés : sur cent postulantes, il n'y avait que six à dix admissions.

Pour celles qui avaient la chance d'être admises, il fallait compter huit ans d'études en moyenne. Durant les deux premières années, l'élève ne venait à l'école que pendant la journée. Au bout de ces deux ans, une deuxième sélection était opérée, et celles qui étaient admises à poursuivre leurs études, devenaient alors pensionnaires à l'école.

L'année scolaire, longue de huit mois, commençait en septembre — le jour de la réouverture des théâtres impériaux — et se terminait en mai.

Bien que l'école prît des élèves filles et garçons, les cours n'étaient pas mixtes, loin de là. Il s'agissait plutôt de deux écoles rassemblées dans le même bâtiment, celle des garçons fonctionnant au dernier étage, celle des filles

au-dessous. Ils étaient soumis à une stricte surveillance et n'avaient pas le droit de se parler, même lorsqu'ils étaient réunis, lors des répétitions, dans la grande salle du premier étage où ils préparaient des spectacles en commun. Pourtant bien souvent, malgré la vigilance d'une sévère directrice, filles et garçons chuchotaient et riaient ensemble, quittes à être privés de dessert pendant une semaine.

En plus de la danse, les pensionnaires recevaient une éducation complète : mathématiques, histoire, français, italien, allemand, musique, maintien, etc. Les élèves des grandes classes suivaient également des cours d'art dramatique, de diction et de chant, ainsi que des leçons de maquillage.

La journée commençait à 7 heures 30. Les élèves revêtaient leurs uniformes sévères, longue robe de serge au corsage caché par un grand fichu de linon blanc, tablier d'alpaga, bas blancs et escarpins marrons.

La nuit, elles couchaient dans d'immenses dortoirs où elles avaient chacune une alcôve séparée, avec une icône au-dessus du lit. L'hygiène était précise; les élèves se baignaient tous les vendredis sous la surveillance et avec l'aide de femmes de chambre; tous les samedis, elles passaient un examen médical; enfin, leurs pieds étaient l'objet de soins minutieux de la part d'un spécialiste.

Les jeunes filles admises, après une sélection très sévère, à devenir pensionnaires du conservatoire impérial de Saint-Pétersbourg étaient strictement surveillées et passaient leurs années d'études sous le signe de la discipline et de l'austérité; rangées autour des longues tables du réfectoire, avec leurs robes montantes en serge bleue, elles auraient presque pu se croire au couvent. D'ailleurs, l'enseignement religieux n'était pas oublié; les repas se terminaient par des prières chantées; l'école avait sa propre chapelle, et l'on jeûnait strictement pendant le carême.

La famille impériale envoyait souvent des friandises pour ces enfants, qui étaient en quelque sorte des pupilles du Tsar et que l'on considérait comme faisant partie de sa maison.

Débuts sur la scène — Le corps de ballet

Dès leur deuxième année d'études, les élèves de l'école impériale de ballet commençaient à danser, en groupes mêlés au corps de ballet, sur le plateau du Théâtre Marie, car il fallait leur donner l'habitude de la scène. Il faut imaginer l'émotion d'un de ces « petits rats » se trouvant pour la première fois, un soir de spectacle, devant cet immense trou noir et béant, avec l'impression — quelle que soit la modicité du rôle qui leur est confié — que les yeux des centaines de spectateurs sont braqués sur eux.

Puis, progressivement, l'élève sortait de la masse des figurants; elle participait, par exemple à la mazurka du dernier acte de *Paquita* (ballet en 2 actes, dont l'action se passe en Espagne, sour l'occupation napoléonienne), dansée par seize couples, ou bien interprétait un rôle infime dans l'immense distribution de *la Belle au Bois dormant*.

Il fallait évidemment préparer et répéter ces rôles. Les répétitions avaient généralement lieu à l'école même; mais parfois, lorsque les circonstances le demandaient, on conduisait les élèves au théâtre. Pour

ne pas interrompre les cours de danse matinaux, on répétait l'après-midi. Quelle joie alors pour les jeunes lorsque l'on venait les chercher au milieu d'une leçon de calcul !

Au Théâtre Marie, les soirées du mercredi et du samedi étaient réservées au ballet; tous les autres soirs, on donnait des opéras. Les élèves étaient si surexcitées, les jours de ballet, qu'elles ne pouvaient pas dîner, et ce n'est qu'à minuit, lorsqu'on les reconduisait à l'école, qu'elles soupaient enfin, avant de se coucher.

Des calèches officielles impériales venaient les chercher pour les emmener au théâtre. En attendant leur entrée en scène, les jeunes observaient le travail de leurs aînées, au cours de séances d'échauffement, avant le spectacle, pendant lesquelles les « étoiles » se donnaient à fond. Ceci constituait, pour les élèves, de précieuses leçons, et les préparait à leur future vie de danseuses professionnelles autant que leurs cours à l'école.

Le couronnement de ces apparitions en scène était sans conteste le spectacle organisé chaque année à l'occasion de la sortie d'une nouvelle promotion. Cette représentation — qui avait lieu, traditionnellement, le dimanche des Rameaux — permettait aux élèves d'être

évoluaient les solistes; il s'avançait parfois, exécutait son numéro et se retirait de nouveau. Sur les scènes impériales, la hiérarchie était en effet très sévère, et le corps de ballet était composé des jeunes filles récemment sorties de l'école et des danseuses plus âgées qui, par manque de dons, passeraient toute leur vie professionnelle dans les rangs du corps de ballet; on disait des plus effacées et des moins douées d'entre elles que leur carrière se déroulait «près de l'eau» (en effet, le décor de fond des anciens ballets comportait presque toujours une fontaine, une rivière ou la mer).

Les répétitions du corps de ballet avaient lieu tous les jours vers midi. L'escalier et le vestibule du théâtre s'emplissaient alors de rires et de papotages; paisiblement assises le long des murs, les danseuses bavardaient en tricotant et en buvant du thé, jusqu'à ce que retentisse l'appel.

Une fois par an avait lieu le «bénéfice» du corps de ballet; ce spectacle était l'un des événements les plus importants de la saison théâtrale de Saint-Pétersbourg et l'on retenait ses places des mois à l'avance.

vues par l'ensemble des professeurs, par les fonctionnaires des théâtres impériaux, par les artistes en renom, et par quelques personnalités triées sur le volet.

Après sa réussite aux examens de sortie, la lauréate recevait une somme de cent roubles pour ses premiers frais vestimentaires, ainsi qu'un engagement pour vingt années de service sur les scènes impériales, à compter de sa seizième année. Son traitement mensuel, comme débutante, était d'une cinquantaine de roubles et le contrat représentait un avenir assuré.

Voici donc la jeune danseuse appartenant à une troupe de ballet qui, à la fin du XIXe siècle, comprenait environ cent quatre-vingts artistes, avec une majorité de femmes, qui étaient classées en cinq échelons — membre du corps de ballet, coryphée, seconde et première danseuse et enfin «prima ballerina». A leur sortie de l'école, les nouvelles devenaient généralement membres du corps de ballet. Rares étaient celles qui, en raison de leurs dons exceptionnels, recevaient leur première affectation au titre de coryphée.

Le corps de ballet de Saint-Pétersbourg a toujours eu une réputation de quasi-perfection; mais malgré cela, son rôle est resté pendant longtemps assez passif; il ne représentait en fait qu'un fond de décor devant lequel

Pour la débutante, cette vie nouvelle était la découverte de la liberté, des flâneries dans Saint-Pétersbourg après les répétitions, et des sorties avec les camarades de travail à la fin du spectacle. Mais tout n'était pas rose dans cette existence; le traitement modeste demandait quelquefois des prodiges d'équilibre budgétaire, et la future étoile s'habillait plus souvent dans les petites boutiques de fripiers que chez les grands couturiers.

La journée
d'une artiste de ballet

Se couchant tard par obligation professionnelle, les artistes de ballet n'avaient pas à se lever dès l'aube. C'est généralement vers les neuf heures du matin qu'elles quittaient leur domicile pour se rendre au théâtre.

A cette époque, il fallait avoir une certaine fortune pour disposer d'une voiture individuelle — ce qui supposait écurie, remise, cocher et palefrenier —. Les déplacements en ville se faisaient donc à pied ou en fiacre, ou encore par le seul moyen de transport en commun qui existait alors : l'omnibus.

La nouvelle vie professionnelle ne mettait fin, bien entendu, ni aux exercices pratiques ni aux études. Bien qu'il n'y eût que deux représentations par semaine dans les théâtres impériaux, le travail de préparation suffisait amplement à meubler la vie des jeunes danseuses. Les cours du matin constituaient un chapitre à part dans la vie des débutantes. Donnés par des danseurs et des maîtres de ballet chevronnés, ils assuraient, en quelque sorte, la transition entre le travail scolaire et la vie professionnelle des débutantes.

Répétitions et leçons se prolongeaient généralement jusqu'à l'heure du déjeuner, mais rares étaient les artistes qui faisaient à ce moment un véritable repas. Elles se contentaient presque toujours d'avaler à la hâte un sandwich ou un petit pâté à la viande ou au chou

La nouvelle existence laborieuse ne mettait fin ni aux répétitions ni même aux études. Bien qu'il n'y eût de représentations de ballet que le mercredi, le travail de préparation suffisait à meubler la vie des jeunes artistes.

qu'elles faisaient descendre avec quelques tasses de thé. Puis, cette légère collation une fois avalée, les artistes se remettaient au travail; les unes s'isolaient dans une salle inoccupée pour répéter, seules devant le miroir, tel mouvement difficile ou tel pas compliqué qu'elles cherchaient à perfectionner; les autres s'entraînaient avec un partenaire pour que le pas de deux qu'ils allaient avoir à exécuter sur scène soit impeccable.

Il fallait aussi que la danseuse s'occupe de la tenue qu'elle porterait en scène, qu'elle en discute à l'avance avec les costumiers et les couturières, et qu'elle se prête aux longues séances d'essayage.

Bien que costumes et chaussons lui aient été fournis par le théâtre, elle devait encore se choisir, en ville certains accessoires, ainsi que ses tenues de répétition et d'exercices pratiques, dans lesquelles elle avait besoin de se sentir parfaitement à l'aise. Elle avait ses propres fournisseurs chez lesquels il fallait qu'elle se rende pour choisir, commander et essayer. La plupart des ateliers spécialisés dans les articles de luxe et les accessoires sortant de l'ordinaire étaient à l'époque tenus par des étrangers, français, italiens, allemands ou suisses.

Elle se devait en outre de se tenir au courant des développements de la vie artistique. Ayant beaucoup d'amis parmi les peintres qui étaient chargés des décors du théâtre, elle visitait assidûment leurs expositions et celles de leurs confrères, russes et étrangers.

Après des journées si bien remplies, venait, deux fois par semaine (le mercredi et le samedi), le moment de se préparer pour le spectacle qui commençait à huit heures du soir. Dans sa loge (qu'elle partageait avec une ou plusieurs camarades, ou bien dont elle disposait seule, suivant le rang qu'elle occupait dans la hiérarchie de la troupe), elle s'habillait et se maquillait; elle avait sur la table de toilette tout un attirail de fards et de crèmes, ainsi que des perruques et autres postiches parmi lesquels elle devait opérer un choix judicieux.

Ainsi arrivait l'heure du spectacle, et la danseuse devait oublier tous ses soucis et ses préoccupations personnelles, toute sa fatigue et ses petits bobos, afin de donner le meilleur d'elle-même.

Puis, de retour dans sa loge, elle se changeait, se démaquillait, et ne quittait le théâtre, épuisée, que vers dix heures et demie. Elle avait alors le choix : ou bien, elle rentrait chez elle, soupait et se couchait de bonne heure pour pouvoir affronter les fatigues du lendemain; ou bien, elle se retrouvait entre artistes professionnels ou dilettantes, chez l'un d'eux ou dans quelque boîte bohême, discutant passionnément de leur art, de leur avenir, ou des événements du moment.

Ce n'est que très progressivement que des novateurs hardis parmi les chorégraphes osèrent faire travailler le corps de ballet en même temps que les solistes, ce qui donnait au spectacle une puissance et une vie nouvelles. Il a également fallu beaucoup de temps pour que s'assouplissent les règles rigides auxquelles devaient obéir les artistes du corps de ballet impérial : même nombre de danseurs, mêmes pas, symétrie dans les déplacements.

L'avancement — La situation sociale

Peu à peu, les rôles confiés à la jeune danseuse devenaient plus important et, si la direction des théâtres impériaux — qui suivait de très près la carrière des artistes — l'estimait mérité, elle accordait de l'avancement à celles qui avaient fait leurs preuves. Ces promotions étaient évidemment fondées sur le talent, l'application et la personnalité de la danseuse, mais également et avant tout sur le succès qu'elle remportait auprès du public.

En sortant des rangs du corps de ballet, on passait « coryphée », c'est-à-dire qu'au lieu de danser toujours en groupe, la jeune danseuse exécutait quelques solos, d'abord très modestes, puis qui prenaient de l'importance lorsqu'elle devenait deuxième danseuse. Comme première danseuse, elle prenait part aux « pas de trois » ou aux « pas de quatre ».

La consécration de sa carrière, après avoir gravi tous les échelons grâce à ses dons naturels et à un travail acharné, était le titre de *prima ballerina* ou danseuse étoile, c'est-à-dire une danseuse soliste chargée des premiers rôles.

Il était impossible de deviner, dès le début, si l'artiste en herbe avait en elle l'«étincelle divine». L'école impériale de danse ne pouvait qu'enseigner la technique à ses élèves, et leur inculquer des moyens d'expression, mais encore fallait-il qu'elles eussent quelque chose à exprimer.

Le chemin qui conduisait au titre envié de prima ballerina était long et ardu. Le pourcentage d'anciennes élèves de l'école impériale qui y parvenaient était relativement faible, et un dur travail quotidien ainsi qu'une discipline de fer étaient deux conditions indispensables pour accéder à ce sommet.

Pour celles qui y réussissaient, cette position leur apportait des avantages énormes, mais elle n'était pas exempte d'inconvénients.

D'une part, en effet, le fait d'être devenue une étoile de cette troupe prestigieuse donnait à l'artiste non seulement la possibilité de choisir ses rôles, mais encore souvent de se faire composer des ballets sur mesure, qui mettaient ses dons en valeur. Il l'affranchissait également de maintes petites contraintes imposées par la discipline très rigoureuse des théâtres impériaux — ainsi la Kschessinska fixait-elle elle-même la date de ses spectacles, de façon à ne danser qu'aux moments les plus forts de la saison théâtrale; le reste du temps, elle arrêtait tout entraînement et vivait à son gré.

En outre, la danseuse étoile était invitée à danser à l'étranger et à se montrer devant les publics les plus avertis, à Paris, à Copenhague, à Milan, à Londres, à Madrid, à Berlin, à New York.

D'autre part, elle était en butte à l'envie et aux cabales de ses rivales moins favorisées. Quant au public et aux journalistes, ils étaient à l'affût de la moindre faiblesse et se montraient impitoyables. Elle devait se livrer à un combat constant et être constamment sur ses gardes pour ne pas perdre, du jour au lendemain, la faveur dont elle jouissait.

Cependant, même parvenue au sommet de la gloire, la danseuse étoile se vit longtemps fermer les portes de la haute société russe, qui était très jalouse de ses privilèges.

Bien entendu, le brassage de la vie mondaine faisait que l'on pouvait rencontrer telle ou telle étoile de la danse dans les endroits chics, restaurants luxueux ou

---

Hauts fonctionnaires, aristocrates et grands propriétaires terriens étaient certes toujours disposés à venir au théâtre pour applaudir avec enthousiasme les grandes étoiles de la danse, et même à leur demander de venir — contre un cachet confortable — danser un numéro au cours de brillantes soirées, mais à condition qu'elles n'allassent pas s'imaginer que leur talent était un passeport valable pour se mêler à un monde qui n'était pas le leur; en effet, les artistes étaient généralement issus d'un milieu fort modeste; leurs parents étaient soit artistes eux-mêmes, soit petits bourgeois ou artisans, soit encore serviteurs de la famille impériale.

cabarets à la mode, escortées d'officiers en grand uniforme ou de jeunes gandins en habit de soirée, mais un homme de bonne famille hésitait à épouser une danseuse, même célèbre, car une telle mésalliance risquait de lui fermer bien des portes.

Mais les années passent vite, entre le travail intensif, les voyages triomphaux et les sorties mondaines. Voici atteinte la limite des vingt années de service, et la danseuse doit faire ses adieux à la scène. C'est alors la représentation organisée à son « bénéfice », soirée de discours, d'embrassades, de cadeaux (celui du Tsar, ceux des admirateurs).

La danseuse à la retraite recevait une pension qui lui permettait de vivre confortablement, mais bien peu d'entre elles se résignaient à l'oisiveté, après tant d'années d'activité intensive. La plupart d'entre elles ouvraient alors des cours de danse, où leur réputation attirait de nombreux élèves.

Les risques du métier

Pour les spectateurs, assis confortablement dans l'immobilité reposante d'un décor douillet, les danseuses et danseurs qui tourbillonnaient gracieusement devant eux, dans leurs costumes scintillants, éclairés par les feux de la rampe, se transformaient en êtres féeriques, appartenant à un monde plus beau, plus vaste et plus éthéré que le nôtre, où le malheur n'avait pas de place.

Mais la réalité était bien différente, car la danse est une profession exigeante qui comporte des fatigues et des dangers et qui demande à ses adeptes une dépense énorme d'énergie physique et nerveuse : *physique* puisqu'elle consiste en une dure activité corporelle; *nerveuse* puisque, comme tous les autres spectacles, le ballet a pour mission magique de transporter hors d'elles-mêmes les centaines de personnes qui constituent le public.

C'est bien en prévision de cette énorme dépense d'énergie physique et nerveuse que, lors de l'examen d'admission à l'école de danse, les médecins qui faisaient obligatoirement partie du jury avaient procédé à un tri sévère et n'avaient retenu que ceux des candidats dont la morphologie et la physiologie leur paraissaient adaptées à l'austère discipline de la danse. En outre, tout au cours de l'enseignement, une surveillance minutieuse et des soins médicaux constants étaient de règle et aucun élève ne pouvait s'y soustraire, car il devait se maintenir en excellent état physique.

Ces multiples précautions ne pouvaient cependant empêcher des accidents de toute sorte de se produire un jour ou l'autre, au cours d'une répétition ou même, ce qui était plus grave, lors d'une représentation.

Parmi les plus fréquents étaient les lésions osseuses ou musculaires qui affectaient le plus souvent les pieds et les jambes et qui pouvaient survenir à tout instant. Un mouvement trop brusque, lorsque les muscles ne sont pas encore suffisamment échauffés, et c'est la foulure ou le claquage de tendon qui peut immobiliser la danseuse pendant plusieurs semaines. Une chute peut provoquer une fracture du pied, de la cheville ou du genou, et si les os ne sont pas remis en place avec la plus grande

dextérité, une carrière en pleine ascension peut être arrêtée net. Et Dieu sait s'il y a des occasions de chute : un partenaire qui vous tient mal, un marteau oublié par un machiniste, un décor mal fixé ou, pire que tout, une corde qui casse au moment où — le livret comportant un envol spectaculaire — la ballerine est suspendue en l'air, comme par exemple dans *la Sylphide* où, à la fin du ballet, toutes les sylphides s'envolent dans les cieux en emportant le corps de leur reine.

D'autres risques guettaient également tous les membres de la troupe. Certains prenaient la forme d'une épingle oubliée dans le costume du ou de la partenaire et qui vous piquait cruellement; ou encore le malheur qui arriva un jour à Karsavina : un ornement de métal si mal placé sur le pourpoint de son cavalier — qui n'était autre que Nijinski — qu'il lui déchira le bras lorsque celui-ci la souleva.

Lorsque l'on était en scène, il fallait étouffer toute marque de douleur, et terminer stoïquement la représentation, comme si de rien n'était.

Le public ne voit ni les longues séances d'exercices à la barre, ni le geste — trop fréquent hélas — de ces deux danseuses *(ci-dessous)* qui se massent, l'une le mollet, l'autre le cou-de-pied.

29

Costumes classiques et chaussons blancs

Jusqu'au XVIIIe siècle, le costume des interprètes de ballets et de mascarades ne s'écartait pas sensiblement de la mode du temps. Même lorsque les sujets étaient mythologiques, antiques ou exotiques, les danseurs portaient, en plus clinquants, des vêtements qui étaient le reflet de ceux des nobles spectateurs qui leur faisaient face.

De la fin du XVIIIe siècle au début du XXe, la tenue de la danseuse a considérablement évolué (beaucoup plus que celle de son partenaire masculin).

Pourtant déjà, dès le XVIIIe siècle, il faut signaler que la danseuse — même si elle était couverte de lourdes étoffes raidies par des broderies, et engoncée dans des paniers — portait malgré tout une jupe qui s'arrêtait au-dessus de la cheville, afin de permettre aux spectateurs d'apprécier le travail des pieds. Et c'est même en 1734 que le costume « néo-classique » fit une timide apparition grâce à Mademoiselle Sallé; cette grande danseuse française, appelée à Londres pour y créer le ballet-pantomime *Pygmalion,* était apparue sur scène portant une simple robe de mousseline drapée comme une tunique grecque, qui fit sensation. Depuis cette époque,

les deux genres avaient coexisté, bien que la tunique fût de plus en plus généralisée.

Même les « citoyennes » de la Révolution française suivirent l'impulsion donnée par Mademoiselle Sallé, et bannirent les jupes larges et les paniers auxquels elles préférèrent les costumes à l'antique.

Pendant cette période de transition, les danseuses portèrent donc des robes de mousseline légère, à la taille haute et aux petites manches ballon, ornées de guirlandes de fleurs, s'il fallait évoquer la déesse Flore, ou d'une peau de léopard s'il s'agissait d'une bacchante. Quant à leur jupe, elle s'était considérablement raccourcie et s'arrêtait au mollet.

C'est vers 1830 que survint le grand changement, avec l'apparition sur scène de Marie Taglioni, revêtue de ce costume blanc qui est encore la plupart du temps l'uniforme des danseuses classiques : corsage serré se terminant en pointe, large décolleté, petites manches plates, et une jupe bouffante en gaze vaporeuse tombant à mi-mollet et dont les larges plis souples amplifiaient les mouvements des jambes en leur donnant du moelleux.

Pendant quatre-vingts ans, la plupart des danseuses allaient être vouées, bon gré mal gré, à ce style et à cette couleur que l'on continue à associer à la Taglioni et à *la Sylphide,* le rôle qu'elle a le plus marqué de sa personnalité.

Entre 1880 et 1890, cette tenue se modifia légèrement sous l'influence des Italiennes, et notamment de Virginia Zucchi qui, pour mieux faire admirer sa virtuosité, fit raccourcir ses jupes jusqu'au genou; le « tutu » était né. Dès lors, voici comment s'habillèrent les danseuses classiques : corsage ajusté, très décolleté, tenant aux épaules par des bretelles légères; sur une petite culotte courte, une jupe (le tutu) composée de quatre volants de tulle ou de tarlatane, généralement blancs, et assez raides pour que le volant du dessus s'arrondisse comme un plateau autour de la taille.

Peu importe le rôle incarné par la ballerine — Égyptienne ou Écossaise, fée ou déesse, fleur ou papillon — seuls les accessoires, et surtout les coiffures, permettaient d'identifier l'héroïne : un pschent pour l'Égyptienne, une étoile au front de la fée, des ailes au dos du papillon. Ceci formait un contraste, parfois saisissant, avec le costume beaucoup plus réaliste de son partenaire masculin.

Et les ballerines y tenaient, à leur tutu ! Il était si léger, si pratique, et mettait tellement leur technique en

A mesure que se perfectionnait la technique des pointes, et que grandissait l'effort demandé aux doigts de pied, le chausson évoluait aussi; le bout est maintenant protégé par un matelassage de tissu piqué, solidaire d'un support en liège. Il doit mouler parfaitement le pied de la danseuse.

valeur. On raconte que Mathilde Kschessinska, qui devait danser le rôle de la Camargo dans un ballet de Petipa, refusa de porter le costume de scène, composé pour ce rôle, qui comportait une jupe à paniers à la mode du XVIIIe siècle. Elle remplaça la jupe par un simple tutu. Le directeur des théâtres impériaux, qui était alors le prince Volkonski, la mit à l'amende pour infraction aux règlements. Mais la danseuse en appela à la famille impériale; le Tsar fit annuler l'amende, et le prince Volkonski démissionna.

Il faudra attendre les *Ballets Russes* de Diaghilev pour que l'habillement des danseuses revienne à la couleur et prenne des formes plus variées, en fonction de l'action du ballet et du rôle de la ballerine, tout au moins dans certains cas.

Enfin les ballerines portaient des bas blancs et des chaussons blancs ou roses. Les souliers à talon, qui étaient encore en usage au XVIIIe siècle, furent remplacés au début du XIXe par des brodequins lacés qui, eux-mêmes, se transformèrent en chaussons à bout renforcé, lorsque les danseuses s'élevèrent sur les pointes.

Les grandes vedettes de la danse ne se privaient pas d'exhiber sur scène leurs bijoux les plus somptueux.

Au théâtre impérial, les costumes et les chaussons étaient fournis aux artistes. Les chaussons, importés de Paris, étaient en satin ou en toile et avaient un bout renforcé; on les attribuait aux étoiles à raison d'une paire par acte. Mais certaines danseuses préféraient les chaussons italiens et les faisaient venir à leurs frais de Milan.

Ces magiciens
à qui nous devons
le ballet russe

Dans la création et la réalisation d'un ballet, il y avait trois éléments indispensables. Il fallait d'abord une *histoire*, soit originale, soit basée sur une œuvre littéraire, soit tirée d'un événement historique. Une fois choisi le sujet de l'histoire, il fallait également une *musique* pour accompagner les danses.

Enfin, on devait développer, au cours de plusieurs scènes, ou même de plusieurs actes, l'action de cette histoire et découper en épisodes ces scènes et ces actes. Ce dernier travail pourrait être comparé à celui d'un scénariste qui adapte un sujet pour le cinéma. En termes de danse, cette adaptation s'appelle *chorégraphie*. Celui qui crée la chorégraphie est un « chorégraphe » ou « choréauteur ».

Ensuite, venaient les répétitions, sous la direction du « maître de ballet » (l'équivalent d'un metteur en scène de cinéma).

Aussi bien le chorégraphe — chargé de la phase théorique de préparation —, que le maître de ballet à qui incombait la phase pratique de l'incarnation du ballet dans la personne de chaque interprète, avaient besoin d'un grand nombre de qualités identiques.

L'un comme l'autre devait : être bon danseur lui-même, et avoir de la danse une connaissance technique ; être capable de diriger les danseurs et de leur faire comprendre ce que l'on attendait d'eux (la plupart des grands chorégraphes des théâtres impériaux étaient

également professeurs et formaient eux-mêmes le corps de ballet, des rangs desquels sont sorties les danseuses russes les plus prestigieuses) ; avoir des notions d'anatomie, dans la mesure où celle-ci conditionne les mouvements de danse ; avoir aussi des notions d'arts plastiques puisque les danseurs sont, en quelque sorte, des statues animées, et que les mouvements d'ensemble s'apparentent à la composition d'un tableau ; enfin, bien connaître la musique.

Il devait aussi posséder une grande culture, afin de ne pas commettre de bévues dans les adaptations de sujets historiques et d'œuvres littéraires ; et enfin, être doué au plus haut degré du sens de l'organisation, pour pouvoir mener de front ses multiples activités — choix de l'histoire (en tenant compte des goûts du public et des tendances artistiques du moment), coordination du travail avec les musiciens, les décorateurs, les costumiers, les machinistes, tout en consacrant le meilleur de

Polichinelle. A dix ans, il s'enfuit de chez ses parents et, avec cinq francs pour toute fortune, se rendit à Paris. A treize ans, il joua son premier rôle parisien, au théâtre de la Gaîté, le rôle de… Polichinelle… Heureusement, il n'en resta pas là et, ayant étudié la danse avec le grand Vestris, il entra à vingt ans à l'Opéra de Paris où il fut le partenaire attitré de la Taglioni. C'est en 1848 qu'il partit pour Saint-Pétersbourg où il créa de nombreux ballets, surtout romantiques. Son œuvre la plus connue est *Giselle,* sur un livret de Théophile Gautier.

Avec Marius Petipa, ce fut le retour au classicisme, par opposition au romantisme de Perrot. (Ce nom de « Petipa » prédestinait sans doute à la carrière de danseur, car il faut remarquer que toute la famille de Marius — père, mère, frère, sœur, épouse et fille — s'adonnaient, avec plus ou moins de succès au dur métier de la danse.) Arrivé à Saint-Pétersbourg en 1847, ce Marseillais de naissance y mourut en 1910, après avoir créé cinquante-quatre ballets et trente-quatre divertissements d'opéra. Ses ballets les plus connus sont *la Belle au Bois dormant* et *le Lac des Cygnes,* tous deux sur une musique de Tchaïkovski.

Arthur Saint-Léon innova avec des danses basées sur des sujets nationaux, comme *le Petit Cheval Bossu* inspiré du folklore russe, et *Coppélia,* un ballet fantastique qui contient un grand nombre de danses folkloriques hongroises.

lui-même aux minutieux détails des longues répétitions.

Le précurseur en fut le Français Charles Le Pic qui, après avoir dansé et mis des ballets en scène dans de nombreuses capitales, fut appelé à Saint-Pétersbourg en 1786, à l'âge de quarante-quatre ans. Jusqu'à la mort de la Grande Catherine, il monta un grand nombre de ballets comprenant des grands ballets héroïques, aussi bien que des ballets-pantomimes et des pastorales.

Charles-Louis Didelot, après avoir dansé à l'Opéra de Paris avec la Guimard, fut chargé par le Tsar Alexandre Ier, en 1801, de la direction de l'école impériale qu'il réforma entièrement, posant ainsi les fondations du ballet typiquement russe. Il attachait une grande importance aux effets scéniques, et sa chorégraphie la plus célèbre est *Zéphire et Flore* dans laquelle brilla particulièrement son élève Audotia Istomina.

Jules Joseph Perrot, né à Lyon en 1810, débuta à neuf ans au théâtre des Célestins dans un rôle de

Les concepts de la danse classique

L'apprentie ballerine n'avait pas seulement à apprendre la maîtrise de ses muscles et de ses mouvements, elle avait aussi à assimiler tout un langage technique qui, en russe, comme d'ailleurs dans toutes les autres langues, était constitué par des termes français. En effet, c'est le français qui était, et qui est toujours employé pour la danse, de même que l'italien régnait, et règne toujours sur les termes de la musique.

Chaque position, chaque attitude, chaque pas a son appellation propre.

A la base de l'expression dansée sont les *cinq positions* des pieds; celles-ci ont été répertoriées pour la première fois au XVIIe siècle par Pierre Beauchamp, danseur, chorégraphe, et maître de ballet; d'abord surintendant des Ballets du Roy, il fut ensuite nommé par Louis XIV directeur de l'Académie royale de danse.

La plupart des pas d'un ballet commencent et finissent par l'une de ces cinq positions des pieds :

attitude écartée   **attitude effacée**

grand jeté

La technique du laçage des chaussons est très importante. Les ballerines expérimentées conseillaient à leurs jeunes camarades de placer le nœud final en dehors et de le mouiller d'un peu de salive afin qu'il ne se défît pas pendant l'effort.

Pour « arabesque » et « grand jeté », voir *Table alphabétique* en fin de volume.

attitude effacée　　　　**attitude croisée**　　　　**arabesque, pas de deux**

Dans la *première position,* les pieds forment une ligne droite, talons joints.

Dans la *deuxième position,* les pieds sont de nouveau en ligne droite, mais les talons sont à un petit pas de distance l'un de l'autre.

Dans la *troisième position,* les pieds sont placés parallèlement l'un en avant de l'autre, de telle sorte que le talon du pied avant s'insère dans le creux de la cambrure du pied arrière.

Dans la *quatrième position,* les deux pieds sont placés l'un devant l'autre à un pas de distance.

Dans la *cinquième position,* les pieds sont placés l'un contre l'autre, tournés vers l'extérieur, de telle façon que la pointe du pied arrière est parallèle au talon du pied avant dont la pointe cache le talon du pied arrière.

Aux cinq positions des pieds, correspondent cinq positions de bras :

Dans la *première position,* les bras se lèvent jusqu'au niveau de la taille, les bouts des doigts se touchant presque.

Dans la *deuxième position,* les bras sont ouverts, paumes en dedans, dans le prolongement des épaules.

Dans la *troisième position,* le bras droit est levé en demi-couronne au-dessus de la tête, tandis que le bras gauche conserve la position précédente.

Dans la *quatrième position,* le bras gauche est en première position, tandis que le bras droit conserve la position précédente (troisième).

Dans la *cinquième position,* les deux bras sont levés au-dessus de la tête, les mains allongées sans raideur, paumes en dedans.

Les *attitudes,* elles, concernent le corps tout entier. Elles ont été codifiées au XIXᵉ siècle par Carlo Blasis, danseur, chorégraphe et directeur de l'Académie de danse de Milan. L'attitude de base lui avait été inspirée par l'envolée de la célèbre statue de Mercure — que l'on peut admirer au Louvre — due au sculpteur Jean de Bologne et dont tout le corps n'est supporté que par la pointe du pied gauche; la jambe droite est repliée en arrière à angle droit, le bras droit est souplement pointé vers le ciel, le bras gauche légèrement écarté du corps dans la grâce d'un équilibre parfait.

Les différentes variantes dérivées de cette attitude sont dites *relevées, écartées, effacées, croisées,* etc.

Croisée signifie que la danseuse, qui était de face, vire le corps de 45 degrés; *effacée* indique que la danseuse, qui était de face, vire sa jambe et son corps d'un demi-cercle, mais ouvre les jambes au lieu de les croiser, la jambe qui travaille est étendue, en avant ou en arrière. Dans l'attitude *écartée,* une jambe est levée en oblique par rapport au sol; dans la *relevée,* la danseuse s'élève sur les pointes et reprend aussitôt sa pose initiale.

Pas de bourrée et pas de quatre

Le mot « pas » a plus d'une acception. Il peut s'employer dans le sens le plus simple, c'est-à-dire désigner chacun des mouvements que les danseurs exécutent avec les pieds. On peut citer, parmi bien d'autres, le pas *coupé, jeté, chassé, plié, fouetté,* etc.

Le pas *plié* indique une légère flexion des genoux; *coupé* signifié que la jambe qui supportait le poids du corps est remplacée par l'autre; le *chassé* s'exécute au ras du sol, un pied poussant l'autre comme s'il le chassait; dans le *jeté,* la danseuse saute d'une jambe sur l'autre (le *jeté battu* exige en plus un battement de jambe pendant que la ballerine est en l'air); le *fouetté* consiste à pivoter sans arrêt sur une pointe, la jambe libre étant ouverte à 45 degrés.

On appelle également pas des ensembles de mouvements qui composent et caractérisent une figure de danse; c'est ainsi que l'on a, par exemple, le *pas de bourrée, le pas de basque,* le *pas de chat,* etc.

Le *pas de basque* s'exécute en trois temps; le pied qui ne supporte pas le poids du corps glisse en avant, tourne en demi-cercle et se termine à l'arrière par une glissade. Le *pas de chat* consiste en une série de sauts latéraux, genoux très pliés pointés vers l'extérieur, pieds rassemblés sous le corps. Le *pas de bourrée* se danse en trois temps, le premier temps avec le pied posé à plat, les deux autres temps s'exécutant sur les pointes.

On désigne également du nom de *pas* un épisode du ballet exécuté non pas par toute la troupe, mais par un ou par quelques-uns des protagonistes : *pas seul* — ou *solo* — généralement réservé aux danseuses étoiles; le *pas de deux* est le plus souvent exécuté par une ballerine et son cavalier et consiste généralement en une *entrée* et un *adagio* dansés ensemble, en une *variation* exécutée par la ballerine, puis une par son cavalier, et en un *finale* — ou *coda* — dansé de nouveau par les deux partenaires. Il existe également des *pas de trois,* des *pas de quatre,* etc.

On se souviendra longtemps du fameux *pas de quatre* créé à Londres en 1845. Il y avait alors quatre danseuses qui, lorsque chacune d'elles était à l'affiche, attiraient les foules et remplissaient les salles. Tout directeur rêvait de monter un ballet dont l'une ou l'autre serait la vedette. Plus ambitieux, Benjamin Lumley, directeur d'un théâtre londonien, rêvait, lui, de présen-

Carolina Brianza   **Lioubov Roslavleva**   **Ida Rubinstein**   **Colette Marchand**

ter en même temps ces quatre monstres sacrés : Taglioni l'éthérée, la fougueuse Grisi, Cerrito vive comme l'éclair, et la langoureuse Lucile Grahn.

Malgré leur intense rivalité, ou peut-être à cause d'elle et avec l'idée de surpasser leurs rivales, les quatre danseuses acceptèrent la proposition de Lumley qui chargea Perrot de concevoir spécialement pour elles une chorégraphie sur une musique de Pugni.

Perrot fit des miracles d'imagination et de diplomatie et sut trouver des variations qui mettaient en valeur, *également,* les dons innés de chaque danseuse. Les répétitions se passèrent normalement, mais quelques heures avant le début du spectacle, Perrot désespéré avertit Lumley du drame qui menaçait d'éclater à propos de l'ordre dans lequel les variations seraient exécutées. La coutume voulait en effet que l'on dansât en sens inverse de sa célébrité : la danseuse la moins célèbre passant en premier, et la plus célèbre en dernier. Or elles voulaient évidemment toutes passer en dernier. Sans hésiter, Lumley leur suggéra d'exécuter leurs variations en raison non pas de leur célébrité, mais de leur âge. Ces dames se mirent alors à minauder et à glousser, et Perrot vit le moment où elles voudraient toutes passer en premier. Finalement, les variations se succédèrent dans l'ordre suivant : première, Lucile Grahn (24 ans); deuxième, Grisi (26 ans); troisième, Fanny Cerrito (28 ans); et enfin Taglioni (41 ans).

Dès qu'elles se trouvèrent sur scène, consciente de ce que la moindre marque de jalousie ou de mauvaise volonté de sa part risquerait de faire tomber le spectacle et la discréditerait personnellement, chacune des quatre vedettes, qui, l'après-midi encore, se jetaient à la tête les injures les plus blessantes, furent tout sourire les unes envers les autres, dansèrent en se tenant par la main, en se tendant les bras et en offrant au public émerveillé l'image d'une amitié parfaite.

Malgré les orages de ce spectacle, Lumley engagea Pugni et Perrot à composer un autre divertissement qui avait pour sujet le *Jugement de Paris* (épisode de l'*Iliade :* les déesses Junon, Minerve et Vénus se disputent la pomme de la Discorde marquée « à la plus belle » et demandent au berger Paris de décider laquelle des trois mérite ce trophée de la beauté). Le *Pas des Déesses* rassemblait de nouveau Taglioni, Cerrito et Lucile Grahn. L'irrascible Grisi avait été remplacée par Saint-Léon dans le rôle du berger Paris.

Pour Marie Taglioni, *le Pas de Quatre* marqua la fin de sa carrière, elle prit sa retraite peu après et mourut à Marseille en 1884, âgée de 80 ans. Carlotta Grisi connut de gros succès à Saint-Pétersbourg de 1850 à 1853; elle mourut en 1899, à l'âge de 78 ans. Lucile Grahn dansa jusqu'en 1856, puis elle fut maîtresse de ballet et participa à Munich à la création de *Tannhäuser*, de *l'Or du Rhin* et des *Maîtres Chanteurs de Nuremberg* de Wagner; elle vécut jusqu'à ses 86 ans, et mourut en 1907. Fanny Cerrito, elle, vécut le plus longtemps puisqu'elle atteignit l'âge respectable de 92 ans; elle dansa à Saint-Pétersbourg en 1855 et à Moscou en 1856, prit sa retraite vers 1859 et mourut à Paris en 1909.

Les ballets d'action et la pantomime

Pour être une bonne interprète de ballets, il ne suffisait pas de se mouvoir avec grâce et légèreté au rythme de la musique; il fallait aussi (surtout après l'apparition des ballets d'action) savoir raconter au public, rien que par les gestes et sans l'aide d'aucun dialogue, toutes les péripéties indiquées dans le livret et lui communiquer toutes les émotions suggérées par le librettiste. Sur ce plan, le ballet rejoint la pantomime.

Cependant, il ne faut pas confondre la pantomime théâtrale telle que nous la connaissons aujourd'hui — et qui est directement dérivée de l'art des mimes antiques, grecs et romains — avec celle qui est utilisée dans les ballets d'action; ce sont deux langages différents, chacun avec ses signes conventionnels bien définis. On pourrait très bien composer un lexique des moyens d'expression d'une danseuse, dans un ballet d'action. Par exemple :

amitié : elle se serre les mains au niveau de la taille.

amour : elle se pose les deux mains sur le cœur.

colère : elle lève les mains au-dessus de sa tête, coudes en avant et serre les poings.

merci : elle incline simplement la tête, la main sur la poitrine, puis elle la tend dans le mouvement d'offrande vers la personne qu'elle remercie.

ordre : d'un air décidé elle pointe un index vers le sol.

oubli : elle étend mollement les mains, paumes en l'air et secoue légèrement la tête.

pleurs : ou bien elle se couvre le visage de ses deux mains, ou bien elle se frotte les yeux de ses deux poings.

princesse : elle lève les bras et tient les mains juste au-dessus de sa tête, comme si elle enserrait une couronne.

reine : de l'index de la main droite, elle touche le haut de son front à l'endroit où repose la couronne.

tristesse : ses doigts suivent sur son visage la trace des larmes imaginaires qui lui tombent des yeux.

Pour rendre convaincants ces signes très conventionnels, la ballerine devait en même temps adapter aux sentiments indiqués par ces gestes l'expression de son visage. Ainsi que le répétait à ses élèves Olga Preobrajenska, chaque partie du corps apportait sa contribution précise au mouvement qui en était la synthèse. Elle détestait les danseurs qui ne dansaient qu'avec leurs jambes. En fait, elle attachait une importance particulière aux mouvements de la tête et

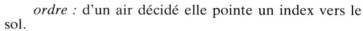

(à gauche) l'Autrichienne Fanny Elssler; *(à l'extrême droite)* l'Italienne Virginie Zucchi; *(à droite)* la Russe Anna Pavlova.

aux expressions du visage. Elle allait même jusqu'à indiquer à ses élèves dans quels cas elles devaient fermer la bouche ou bien la garder entrouverte.

Chez les grandes artistes, aux gestes du corps et aux expressions du visage venait s'ajouter une force émotionnelle capable d'hypnotiser la salle tout entière.

Cela n'était pas toujours facile et le manque de prévoyance des décorateurs ou des accessoiristes rendait parfois la tâche presque impossible.

Un exemple frappant en fut donné lors de la représentation de *la Fille du Pharaon* où l'héroïne, tout échevelée, devait traverser la scène d'un bout à l'autre, en donnant les signes de la plus profonde terreur, car elle était poursuivie par un lion féroce.

Or ce fauve sanguinaire, sorti du magasin d'accessoires, arborait la physionomie débonnaire d'un animal en peluche et il flageolait lamentablement sur ses pattes.

Selon toute logique, la salle aurait dû s'écrouler sous les rires et les quolibets, et le rideau se baisser au milieu des huées. Pourtant, l'émotion dégagée par Virginie Zucchi avait un tel impact que la salle tout entière haletait de terreur comme si un vrai lion dévorant avait bondi sur la scène.

Variété de ballets

Une ballerine était amenée à se produire devant le public dans toutes sortes de spectacles extrêmement variés. Il faut en effet se rappeler que, pendant très longtemps, le ballet proprement dit, sans chant ni paroles, n'existait pas; il y avait des productions mixtes, appelées « opéra-ballet » (comme par exemple *les Indes Galantes,* de Rameau), ou « comédie-ballet » (comme par exemple *le Bourgeois Gentilhomme* ou *les Fâcheux,* de Molière et Lulli) ou « tragédie-ballet » (comme *Psyché,* de Corneille, Molière et Lulli), dans lesquelles étaient intercalés des épisodes dansés qui interrompaient l'action et le texte chanté ou parlé. En Russie même, sous le règne d'Alexandre Ier (1801-1825), on écrivit ainsi un grand nombre de comédies et d'opéras agrémentés de ballets.

Néanmoins, dès la fin du xviiie siècle, il existait déjà des spectacles de ballets proprement dits, dans lesquels la danse n'était accompagnée ni du chant ni de la parole, mais elle racontait tout de même une histoire; celle-ci s'appelle « action » et c'est pourquoi on parle de « ballet d'action ».

Le sujet et le genre du ballet obéissaient très souvent à des modes, mais ils pouvaient aussi dépendre de la personnalité de chorégraphe, du librettiste, des danseuses vedettes ou être inspirés par des événements politiques.

Daphnis et Chloé

On distingue des sujets d'une extrême diversité de genre tels que le ballet « allégorique », « mythologique », « héroïque », « féerique », « romantique », « patriotique », « villageois », « folklorique », etc.

Un exemple de ballet allégorique — en deux actes — fut celui monté par le danseur, chorégraphe et maître de ballet Ivan Wahlberg, à l'occasion du couronnement du Tsar Alexandre Ier et intitulé, comme il se doit, *la Vertu Couronnée.*

C'est au même Wahlberg que l'on doit un bel exemple de ballet patriotique, *le Triomphe de la Russie ou les Russes à Paris,* présenté en 1814, ayant parmi ses interprètes Eugénie Kolossova, et inspiré par l'entrée des Russes en France après la défaite de Napoléon.

Le premier et plus fameux exemple de ballet mythologique est celui que créa Didelot en 1796, *Zéphire et Flore,* qui reçut un accueil enthousiaste car, parmi les effets de scène, figuraient des vols aériens, grâce à des câbles. L'action en est très simple : Zéphire aime Chloris, mais il est puni pour son humeur volage jusqu'à ce qu'il fasse vœu d'être éternellement fidèle à sa belle.

Les ballets héroïques étaient des productions à grand spectacle, agrémentées de batailles fracassantes et de suspense dramatique, qui faisaient appel à toute la troupe et à de nombreux artifices de mise en scène; deux

Cléopâtre (esclave syrienne)

Il existe également une forme de spectacle dansé dans lequel il n'y a pas d'action, mais dont les danses successives sont rattachées à un thème plus ou moins ténu; on peut désigner ce genre de production du nom de « divertissement » ou « suite ».

40

le Dieu Bleu

les Papillons

des chefs-d'œuvre du genre furent *Cora et Alonzo ou la Vierge du Soleil* et *le Prisonnier du Caucase,* tous deux réglés par Didelot.

Pour l'inauguration du Théâtre Marie, Petipa fit jouer, dans des décors et avec des costumes éblouissants, un grand ballet féerique en cinq actes et treize tableaux, *les Pilules du Diable.* Ce genre de spectacle ravissait le public qui se sentait redevenir enfant. Parmi les ballets féeriques, les *Contes de Perrault* ont également servi de base à plusieurs, notamment *la Belle au Bois Dormant* mise en musique par Tchaïkovski.

Le romancier français Théophile Gautier était grand amateur de ballets et fervent admirateur de Carlotta Grisi. C'est pour elle qu'il écrivit *Giselle,* ballet romantique mis en musique par Adolphe Adam. L'action se passe dans la vallée du Rhin où une jeune paysanne, Giselle, aime Albert sans savoir qu'il est de noble naissance. Quand elle apprend la vérité, elle devient folle et se suicide. Mais, à minuit, les *Wilis* apparaissent et se mettent à danser au clair de lune : les Wilis sont les fantômes des jeunes fiancées mortes avant le jour des noces; lorsqu'elles rencontrent un jeune homme, elle le forcent à danser avec elles jusqu'à ce qu'il tombe mort d'épuisement. Mais Giselle intervient et sauve de la mort Albert que les Wilis avaient pris dans leur danse infernale. Ce ballet est encore aujourd'hui le type classique du romantisme et beaucoup d'autres ballets par la suite s'en sont inspirés.

Le premier ballet célèbre créé en 1789 par Dauberval (dont Didelot fut l'élève) était *la Fille mal gardée,* un ballet villageois qui se donne encore aujourd'hui, deux cents ans après sa création. Parmi les nombreuses ballerines qui ont dansé le rôle principal, on compte Fanny Elssler, Virginie Zucchi, et Anna Pavlova. L'action en est très simple, Lise aime Colas, mais la mère de Lise voudrait que sa fille épouse Alain qui est un sot, mais qui a de l'argent. L'amour triomphe et Lise épousera Colas.

Le Petit Cheval Bossu, réglé par le Français Saint-Léon avec une musique de l'Italien Pugni, fut, en 1864, la première tentative de ballet folklorique basé sur un conte russe. Mais les deux auteurs ne prétendaient pas vraiment connaître ni apprécier les thèmes du fonds national russe. Il faudra attendre l'année 1911, le chorégraphe Michel Fokine, le compositeur Igor Stravinski, et le librettiste et décorateur Alexandre Benois pour voir sur scène, pour la première fois, avec *Pétrouchka,* un véritable ballet folklorique russe, qui nous raconte l'histoire d'un pantin doté d'un cœur humain. Paradoxalement, alors que le faux ballet folklorique russe avait été créé à Saint-Pétersbourg, le vrai ballet russe, *Pétrouchka,* fut créé au Châtelet, à Paris.

Il y eut aussi quelques danses abstraites qui mettaient en scène non plus des personnages ni même des animaux, mais des objets inanimés, par exemple des flocons de neige (dans une chorégraphie d'Ivanov) ou des feuilles mortes (dans une chorégraphie d'Anna Pavlova).

Interprétation, technique, personnalité

La grande diversité des sujets de ballet entraînait une variété infinie de rôles à interpréter. Les danseuses qui incarnaient le personnage d'une villageoise, d'une fille de roi, d'une Égyptienne, d'une Espagnole ou d'une Nordique, d'une héroïne de tragédie grecque ou d'une vivandière dans les armées napoléoniennes, d'une bayadère ou d'un hussard, d'un cygne, d'un papillon ou d'une chatte, d'un flocon de neige, d'une fleur, d'une feuille morte ou d'une heure de la nuit, d'un fantôme ou de Cupidon, d'une statue ou d'une carte à jouer, ne pouvaient pas se contenter d'agiter les bras et les jambes en cadence, en laissant à leur costume le soin de montrer qui elles étaient; elles devaient se métamorphoser en leur personnage, sentir et agir comme lui, **être** lui.

Dans ce but, il fallait qu'elles eussent un contrôle absolu de toute leur personne, non seulement la maîtrise extérieure de leurs mouvements (acquise à l'école) qui leur permettait d'accomplir la partie mécanique de la danse, mais encore une maîtrise intérieure qui les rendait capables de se fondre dans chacun de leurs rôles.

L'entraînement physique ne s'arrêtait pas au sortir de l'école, car la danseuse classique devait conserver à ses muscles l'élasticité prodigieuse grâce à laquelle elle atteignait l'amplitude maximale dans ses attitudes, le contrôle du rythme de ses mouvements et le maintien de l'équilibre dans ses poses. Cette maîtrise absolue de son corps se conquérait journellement par des exercices

(à gauche) danseur, dans *la Belle au Bois Dormant*; *(ci-dessus)* pas de deux, danseuse et son cavalier; le rôle d'un danseur se bornait souvent à accompagner les ballerines, à les soulever, à les soutenir, et à les mettre en valeur; à part quelques exceptions, comme Vestris, Perrot, Didelot, Petipa ou Saint-Léon, le danseur était éclipsé par les danseuses, jusqu'au jour où Nijinski fit son apparition éblouissante, dans *les Ballets Russes* de Serge de Diaghilev.

longs et pénibles, au cours d'un entraînement sévère, tant que la danseuse exerçait son art, c'est-à-dire pendant vingt ou trente ans. Il y avait deux sortes d'exercices : à la barre et au centre.

La barre est une grande tringle en bois, de section circulaire de cinq centimètres de diamètre pour qu'on puisse la tenir bien en main; elle est maintenue au mur par des équerres d'une vingtaine de centimètres et placée à un mètre environ du sol. Il y a, derrière la barre, un grand miroir permettant à la danseuse de rectifier d'elle-même une position défectueuse.

Après les exercices à la barre, venaient les mouvements au centre de la salle. Cet entraînement solitaire était complété par des leçons que même les danseuses arrivées continuaient à prendre avec des maîtres célèbres.

A leur technique uniforme, née de ces exercices identiques, venaient s'ajouter des dons innés qui les différenciaient lorsqu'elles étaient sur scène. Certains de ces traits se rapportaient à la danse elle-même : il était indéniable que telles danseuses travaillaient mieux sur les pointes que d'autres (on disait de celles-là qu'elles avaient des « pointes d'acier » et de celles-ci qu'elles avaient des « pointes de coton »); certaines étaient fameuses pour leurs entrechats, d'autres pour la hauteur

de leur élévation ou la souplesse de leur ballon. Mais elles pouvaient aussi conquérir le public par des dons en rapport moins avec la danse elle-même qu'avec leur personnalité intérieure : certaines se montraient pleines de vivacité et d'entrain; d'autres, éthérées, presque irréelles; d'autres encore majestueuses et imposantes. Il y avait celles qui joignaient au talent de danseuse celui de mime, et celles à qui les rôles en travesti seyaient à merveille.

Si une danseuse, au début de sa carrière, avait la chance de dépendre d'un chorégraphe qui savait reconnaître ses dons et qui voulait la mettre en valeur en créant des pas à sa mesure, ou même en commandant des livrets et des partitions propres à la faire briller, elle était lancée. Un bon chorégraphe était d'ailleurs celui qui savait tirer parti des qualités de chaque danseuse de sa troupe.

Un autre facteur salutaire qui contribuait lui aussi au développement des possibilités artistiques de chacune était l'émulation qui régnait entre toutes — Russes et étrangères, plus jeunes et moins jeunes, pensionnaires du Théâtre Marie et pensionnaires du Bolchoï — soutenue chacune par la cohorte de ses partisans dans la salle, à la rédaction des journaux ou parmi les chorégraphes ou librettistes.

Certains poussaient très loin la recherche de la « technique »; c'est ainsi qu'un danseur russe, Vladimir Stepanov, fut amené à étudier de très près l'anatomie du corps humain. Il suivit d'abord des leçons d'anatomie à l'Université de Saint-Pétersbourg, puis en 1892, il se rendit à Paris où il rencontra plusieurs grands médecins, dont le célèbre docteur Charcot qui s'intéressa à ses recherches. C'est à Paris, en français, qu'il publia le résultat de son travail intitulé *Alphabet des Mouvements du Corps Humain.* Son séjour fut très dur, car il était à peu près sans ressources et il souffrit de grosses privations.

Les musiques de ballet

La musique de ballet a un double rôle : elle guide les danseurs, dont elle rythme les pas; par ailleurs elle amplifie et explique l'action aux spectateurs.

Pendant les XVIIe et XVIIIe siècles, en Italie et en France, puis en Autriche, les grands compositeurs d'opéras — Monteverdi, Lulli, Rameau, Gluck, Mozart — ont écrit des musiques faites pour être dansées dans des opérats-ballets et des comédies-ballets; ensuite, lorsque les genres se séparèrent et que les spectacles de ballet devinrent indépendants, en France d'où rayonnaient la plupart des productions chorégraphiques, des compositeurs connus tels que Léo Delibes, Auber, Adolphe Adam ou André Messager écrivirent à leur tour des musiques d'opéras-ballets (comme *le Dieu et la Bayadère,* d'Auber) ou de ballets (comme *Coppélia,* de Delibes, ou *les deux Pigeons,* de Messager).

Les œuvres, créées à Paris, étaient toutes reprises avec succès dans les Théâtres Impériaux, mais en outre, ceux-ci se mirent aussi à créer de nombreux ballets.

Le statut des compositeurs attachés par contrat aux Théâtres Impériaux restreignait considérablement leur créativité : traités comme des « fonctionnaires », ils étaient entièrement sous la domination du chorégraphe

qui leur commandait une partition en leur indiquant avec la plus extrême précision la durée exacte et la tonalité de chaque fragment, le caractère de l'orchestration, et l'ampleur, le rythme et le tempo de chaque mouvement, le tout basé sur le découpage chorégraphique déjà réglé par le choréauteur. Le nombre de mesures que devait « débiter » le compositeur était entièrement tributaire de la mise en scène prévue par le chorégraphe, et le musicien devait s'y plier strictement.

C'est ainsi par exemple que, dans *la Belle au Bois Dormant,* Petipa avait prévu une scène où le Prince Charmant, suivi de son cortège, était censé aller au château de la Princesse; pour donner l'illusion optique de leur avance, une toile de fond représentant les paysages qu'ils traversaient, se déplaçait lentement. Au cours d'une répétition, Petipa s'aperçut que la musique composée par Tchaïkovski pour cette scène s'arrêtait avant que la toile peinte ne fût entièrement déroulée. Il ne lui vint pas à l'idée de raccourcir le paysage; c'est à Tchaïkovski qu'il commanda de rallonger sa partition.

Pour que chaque artiste puisse offrir au public une vision différente de la danse, Didelot demandait au compositeur d'attribuer un tempo différent à chacun suivant son emploi : le premier rôle dansait sur un rythme d'*adagio,* lent et majestueux, tout en belles attitudes; les danseurs de demi-caractère évoluaient sur un tempo *andante gracioso* qui leur permettait des petits pas rapides et des pirouettes véloces; les danses comiques s'exécutaient sur un mouvement d'*allegro* et comportaient des bonds de toute sorte. C'est ainsi que le chorégraphe utilisait les ressources de la musique pour caractériser ses personnages.

Lorsque le compositeur Adolphe Adam écrivit pour Carlotta Grisi la musique de *Giselle,* sur un livret de Théophile Gautier, il fut le premier à utiliser le procédé des thèmes musicaux qui permettaient au public de mieux comprendre l'action. Il introduisit dans sa partition cinq thèmes musicaux : celui de la passion de Giselle pour la danse, celui de l'amour qu'elle éprouve pour le duc Albert, celui des fleurs, celui de la peur, et enfin celui de l'appel de la chasse qui annonce les moments les plus dramatiques de l'action. Ce procédé fut repris par d'autres compositeurs fameux, notamment par Wagner.

Dans les ballets créés par Petipa, la musique n'était qu'un élément de deuxième (ou même de troisième) ordre parmi les composantes du spectacle. Au contraire, dans les programmes des *Ballets Russes* présentés par Serge de Diaghilev, la musique était un élément aussi important que les autres composantes du spectacle; elle était impressionniste avec Debussy, rythmique avec Stravinski.

45

Administration et production

La production d'un ballet coûtait extrêmement cher. Toute création d'un nouveau spectacle entraînait des dépenses énormes car rien ne devait être épargné pour qu'il fût d'un luxe et d'une somptuosité extrêmes. Beaucoup de ballets, comme par exemple *la Fille du Pharaon* ou *la Bayadère,* faisaient appel à l'ensemble du corps de ballet, si bien que toute la troupe du Théâtre Marie — c'est-à-dire cent quatre-vingts artistes environ — se retrouvait alors sur la scène.

Costumes, décors, salaires des danseurs, de l'orchestre et des machinistes, entretien de la salle et du Conservatoire impérial, pensions de retraite, etc. représentaient des dépenses fabuleuses.

S'il avait fallu en faire supporter le coût par les spectateurs, bien peu auraient pu payer leur place, ce qui aurait privé d'un de leurs plaisirs préférés les étudiants et les autres habitués des places à bas prix.

Mais le Théâtre Marie faisait partie des salles subventionnées par le Tsar — comme d'ailleurs le Bolchoï de Moscou — et tous les frais qui dépassaient (très largement) le montant produit par la vente des tickets étaient payés par le souverain sur sa fortune privée. Ceci donnait aux créateurs des ballets une grande liberté d'esprit, car ils ne craignaient pas de faire des dettes.

C'est à un haut fonctionnaire qu'était confiée l'administration des Théâtres Impériaux. Mais les critères qui présidaient au choix de ce personnage tenaient compte bien moins du sens artistique ou des qualités de gestionnaire de celui-ci que du fait qu'il était plus ou moins bien en cour. De par sa fonction, il était en effet en contact constant avec le Tsar; aussi ce poste fut-il souvent confié à des membres de la noblesse, qui s'en tirèrent avec plus ou moins de bonheur.

Il y eut évidemment de fréquents conflits entre des artistes de génie, comme Didelot, Perrot ou Petipa, qui plaçaient leur art avant toute chose, et les directeurs qui n'avaient généralement aucun sens artistique — s'agît-il de la danse, de la musique, ou des décors — ni aucune notion des impératifs auxquels étaient soumises la création et l'exécution d'un ballet.

C'est ainsi, par exemple, que Guédéonov, qui fut directeur de 1822 à 1857, s'était mis dans la tête que les spectateurs venaient au théâtre pour voir de jolies

Certains directeurs eurent une influence heureuse, tel le comte Vsévolojski qui occupa le poste de 1881 à 1899; diplomate de carrière, il avait été en fonction à Paris; il aimait la France, notamment Louis XIV et le Grand Siècle; il était la cible des « intellectuels » russes qui l'avaient surnommé « le Français insipide ». Il introduisit grand nombre d'institutions utiles comme les comités de production pour les œuvres en période de création qui réunissaient le librettiste, le chorégraphe, le compositeur et le décorateur afin qu'ils établissent un plan de travail. Ce fut aussi lui qui s'opposa à ce que l'on confiât à des peintres différents les décors d'une même œuvre, ce qui rompait l'unité de style.

femmes court vêtues et pour lorgner les coryphées et les membres du corps de ballet, et que les chorégraphies compliquées élaborées par Perrot ne les intéressaient nullement. Il infligea tant de brimades à Perrot, qui faisait la sourde oreille à ses suggestions, que ce dernier finit par se retirer et quitta définitivement la Russie.

Un autre sujet de discorde entre directeur et maître de ballet naissait de l'obstination mise par l'administration à engager constamment des danseuses étrangères, alors que des hommes comme Didelot, Petipa ou Saint-Léon insistaient pour donner de beaux rôles aux ballerines russes qu'ils avaient eux-mêmes formées à l'École impériale; néanmoins dans cette lutte, ils durent à maintes reprises s'incliner devant la volonté de la direction.

Parfois, pris d'un beau zèle, l'administrateur lançait des consignes d'économie qui tournaient mal. Alexandre II ayant évoqué un ballet, *la Fille du Danube,* qui l'avait ravi lorsqu'il était enfant, le directeur d'alors, le baron Kirster, convoqua Petipa qu'il chargea de monter ce ballet complètement oublié, pour faire au souverain une agréable surprise. Petipa lui dit qu'il allait falloir

faire des décors et des costumes nouveaux. Kirster répondit qu'il suffirait de retaper les vieux. Petipa lui fit remarquer qu'un enfant ayant tendance à trouver les choses plus belles qu'elles ne le sont en réalité, il fallait produire ce ballet avec beaucoup de luxe pour ne pas décevoir l'Empereur. Mais le baron ne voulut rien savoir. A la première représentation, Alexandre II complimenta Petipa sur les danses qu'il avait réglées, mais dit qu'il n'avait jamais vu, même dans le dernier des théâtres de province, de torchons plus misérables en guise de costumes et de décors. La surprise était ratée, Kirster avait manqué son but et montré du même coup qu'il ne comprenait rien à la production d'un ballet.

Un autre directeur, le prince Gagarine, manqua un jour son but et fit de Didelot un « martyr » : il avait ordonné au maître de ballet d'abréger un entracte; Didelot n'en fit rien, car il fallait donner aux danseuses le temps de changer de costume; le prince ordonna sur le champ de saisir et d'enfermer Didelot. Après deux jours d'arrêts, celui-ci fut relâché et cette mesure grotesque eut pour résultat d'augmenter la faveur du public et l'affection de toute la troupe pour le vieux chorégraphe.

L'un des directeurs des théâtres impériaux, le prince Toufiakine, ne signala guère son passage que par ses actions arbitraires envers les artistes; un jour, il frappa brutalement un élève de l'école de danse qui avait traversé en courant le fond de la scène pendant un spectacle. Toufiakine fut d'ailleurs renvoyé quelques années plus tard pour mauvaise gestion et incapacité notoire lorsqu'on découvrit l'état de saleté et de pauvreté dans lequel se trouvait l'école confiée à ses soins.

Les grandes danseuses étrangères en Russie

Toute danseuse qui atteignait dans son pays d'origine un certain niveau de perfection voyait sa renommée s'étendre dans toutes les capitales d'Europe où elle était invitée, adulée, couverte d'honneurs et de bijoux, et parfois adoptée. Ces invitations étaient fréquentes en Russie où de grandes danseuses étrangères passèrent fréquemment une ou plusieurs saisons intégrées à la troupe des Théâtres Impériaux. C'est ainsi que Marie Taglioni y passa cinq ans (1837-1842), Virginie Zucchi sept ans (1885-1892), Carlotta Brianza quatre ans (1887-1891) et Pierina Legnani huit ans (1893-1901).

Marie Taglioni arriva à Saint-Pétersbourg à l'automne de 1837 pour y danser tous les ballets de son répertoire, notamment le premier ballet romantique, la *Sylphide* basée sur un conte de Charles Nodier, rôle avec lequel elle s'était pleinement identifiée. Par son art consommé, elle conquit le public de Saint-Pétersbourg; on peut véritablement dire d'elle qu'elle avait créé un nouveau style; elle était si légère qu'elle donnait l'impression de voler littéralement dans les airs. Ses bras étaient très longs; mais elle avait si bien su tirer parti de ce défaut qu'il n'en donnait que plus de grâce à ses attitudes; les mauvaises langues prétendaient qu'elle avait perfectionné le travail sur les pointes pour pallier la longueur de ses bras.

L'Autrichienne Fanny Elssler (fille d'un copiste du compositeur Haydn) tint la vedette sur les scènes des Théâtres Impériaux pendant deux saisons, de 1848 à 1850. C'est à elle que l'on doit la venue en Russie de Jules Perrot, car elle souhaitait danser *la Esmeralda* dont il avait fait le livret et la chorégraphie en s'inspirant de *Notre-Dame de Paris* de Victor Hugo. Pleine de vivacité et de passion, Fanny Elssler présentait un contraste frappant avec sa grande rivale, Marie Taglioni au style éthéré.

Carlotta Grisi arriva en Russie en octobre 1850 et — naturellement — elle parut pour la première fois dans *Giselle*, le célèbre ballet dont Théophile Gautier avait écrit le livret pour elle et qui fait toujours partie du répertoire actuel. Bien qu'aucune des louanges que l'on ne manqua pas d'écrire à son sujet n'indique chez elle une perfection dans sa technique, elles font toutes ressortir l'extraordinaire magnétisme de son charme et de sa féminité.

En 1855, c'est Fanny Cerrito, qui, à son tour, fit ses débuts à Saint-Pétersbourg. Elle y apporta son brio et

---

Marie Taglioni déclencha en Russie un enthousiasme extrême : on confectionna des « gâteaux à la Taglioni » et les coiffeurs inventèrent pour leurs clientes à la mode une « coiffure à la Taglioni ». Le tsar Alexandre Ier lui-même quittait sa loge, les soirs où elle dansait, et s'installait au premier rang d'orchestre pour la voir de plus près.

Marie Taglioni

Fanny Elssler

Giselle **1880 Paris**

Fanny Cerrito

Amalia Ferraris

Virginie Zucchi

Pierina Legnani

son tempérament fougueux qui furent plus particulièrement applaudis dans les danses hongroises de *la
Vivandière* et espagnoles de *la Statue de Marbre*.

Amalia Ferraris ne fit qu'un bref passage de trois
mois dans les Théâtres Impériaux, mais il vaut la peine
d'être signalé, car elle reçut un accueil enthousiaste : on
l'appelait «l'autre Taglioni».

Il y eut encore Caroline Rosati, mime de très grand
talent, mais qui était à la fin de sa carrière (elle avait
trente-trois ans) lorsqu'elle apparut à Saint-Pétersbourg
en 1859. Elle avait pris du poids, si bien que ses
détracteurs lui reprochaient de ne pas parvenir à
«décoller». Cependant Petipa savait tirer parti de ses
qualités et minimiser ses défauts; lorsqu'il créa pour elle
la Fille du Pharaon (d'après *le Roman de la Momie* de
Théophile Gautier), il eut soin d'inventer des danses qui
ne faisaient pas ressortir ses défauts et des scènes de
mime où elle excella. Elle se retira en 1862.

Lorsqu'elle arriva en Russie, en 1895, Virginie
Zucchi était «âgée» pour une danseuse : trente-huit
ans. Pourtant, contrairement à Rosati, elle n'avait perdu
ni sa fraîcheur, ni sa fougue. Elle débuta dans un simple
café-concert où elle eut un tel succès que, malgré
l'opposition de Petipa, la direction des Théâtres
Impériaux l'engagea au Théâtre Marie.

Beaucoup plus jeunes et malléables que leurs
devancières étaient Brianza et Legnani qui surent allier à
la fougue de l'école de danse de Milan la souplesse et le
moelleux des danseuses russes.

Carlotta Brianza n'avait guère plus de vingt ans lors
de sa venue en Russie en 1889. Après être, elle aussi,
passée par le café-concert elle fut admise au Théâtre
Marie où, comme on l'a dit plus haut, elle créa le rôle
principal de *la Belle au Bois Dormant*.

Pierina Legnani était une virtuose éblouissante.
Elle fut la première danseuse au monde à exécuter
trente-deux fouettés à la file, dressée sur une pointe,
sans bouger d'un centimètre. Ce tour de force fit une
telle impression que, lorsque *le Lac des Cygnes* fut
présenté au Théâtre Marie, le chorégraphe introduisit
les fameux trente-deux fouettés dans le rôle d'Odile.

La dernière étrangère invitée à se joindre à la
troupe impériale fut Carlotta Zambelli, danseuse étoile
de l'Opéra de Paris. Sa légèreté et son élégance plurent à
certains, mais ceux qui, à la présence artistique
préféraient les prouesses acrobatiques, se plaignirent de
ce qu'elle n'en exécutât pas assez. Mécontente de ces
critiques, la danseuse refusa le salaire élevé que lui
offrait la direction des Théâtres Impériaux pour revenir
l'année suivante, et elle retourna à l'Opéra de Paris.

Fanny Elssler conquit le cœur des Moscovites par son jeu étonnam-
ment dramatique. Lors de sa représentation d'adieu, elle reçut du
public un bracelet dont les six pierres principales, entourées de
diamants, formaient par leurs initiales (**M**alachite, **O**pale, **S**aphir, etc.) le
nom de **Moscou**.

Les danseuses étoiles étrangères jouissaient en Russie d'un traitement
beaucoup plus favorable que leurs homologues russes, non seulement
en ce qui concernait leurs salaires, qui étaient considérables, mais
encore quant aux rôles qu'elles étaient appelées à interpréter; en effet
les créations les plus importantes leur étaient réservées.

Les grandes danseuses russes, jusqu'à 1901

La direction des Théâtres Impériaux avait érigé en dogme l'opinion que les danseuses russes n'avaient pas le talent nécessaire pour tenir les principaux rôles; aussi les confinait-elle dans les emplois secondaires et dans la figuration du corps de ballet.

Cette croyance était erronée. Non seulement les nombreux critiques qui jugeaient les représentations, mais encore les gens du métier — maîtres de ballet ou danseuses étrangères — reconnaissaient que, dans les troupes russes, il y avait des sujets dignes d'occuper le devant de la scène; Fanny Elssler, par exemple, disait qu'une étrangère avait du mal à concourir avec la beauté et la richesse d'un tel corps de ballet et elle déclarait que, dans *la Sylphide,* la danseuse russe Catherine Sankovskaïa ne lui semblait pas inférieure à Marie Taglioni.

Quant aux ballerines russes elles-mêmes, à la fois sujets et objets dans le conflit, leur position était d'autant plus délicate et d'autant plus pénible qu'elles se sentaient sûres de leur talent et qu'elles supportaient de moins en moins d'être tenues dans l'ombre, de percevoir des salaires considérablement moindres que ceux des étrangères, de ne jouer que des reprises, d'accéder difficilement à la position de danseuse étoile, de se voir parfois refuser l'autorisation de partir en tournée (ce qui lui aurait pourtant permis d'obtenir, sur des scènes

étrangères, une considération qui leur était refusée dans leur patrie).

On peut dire que l'un des aspects de l'histoire du ballet en Russie est la lutte sourde qui opposa pendant près d'un siècle les partisans des artistes étrangères à

Maria Sourovtchikova s'était fait remarquer dès 1850 par son talent de mime. En 1854, elle épousa Marius Petipa; celui-ci introduisit dans de nombreux ballets des danses faites spécialement pour elle qui contenaient des passages dramatiques ou comiques, pour mettre en valeur ses dons d'actrice. Elle dansa notamment des rôles travestis dans *le Corsaire* et *le Petit Moujik.* En 1861, elle partit en tournée avec son mari et obtint de gros succès à Berlin, puis à Paris. En 1863, le couple refit une autre tournée.

elle fut l'une des premières danseuses russes à danser à l'étranger; c'est en 1845 qu'elle se rendit pour la première fois à Paris et à Londres. Marfa Mouraviova, formée par Saint-Léon, avait une solide technique et elle maîtrisait particulièrement les pointes, des «pointes d'acier» disait-on; elle fut la première interprète du rôle de la jeune fille dans *le Petit Cheval Bossu.* Eugénia Sokolova avait des jambes magnifiques, beaucoup d'élévation et d'expression dramatique. Petipa avait spécialement réglé pour elle certaines danses, notamment dans *le Songe d'une Nuit d'Été* et *le Corsaire;* devenue professeur, elle eut parmi ses élèves Anna Pavlova et Thamar Karsavina.

Les deux grandes étoiles russes de la fin du XIXe et du début du XXe siècle, Olga Préobrajenska et Mathilde Kschessinska, se complétaient harmonieusement. Préobrajenska joignait à une technique parfaite une musicalité extraordinaire qui lui valut de nombreux succès en Russie et en Europe occidentale. Kschessinska rivalisait avec les grandes danseuses italiennes, Brianza et Legnani; elle fit une carrière rapide exceptionnelle et devint danseuse étoile à vingt-trois ans.

Désormais, la concurrence allait se faire dans l'autre sens, et les danseuses russes, avec Anna Pavlova à leur tête, allaient éblouir l'univers.

ceux des ballerines russes, et qui se termina en 1901 par la défaite de l'administration des Théâtres Impériaux.

Il avait fallu, pour obtenir cette victoire, qu'une danseuse russe pût prouver, par un exploit incontesté, qu'elle allait de pair avec les meilleures des étrangères : on a déjà vu que l'Italienne Pierina Legnani était jusque-là seule capable d'exécuter trente-deux fouettés à la file. Or, ce record fut égalé en 1900 par la Russe Mathilde Kschessinska. Ce tour de force fut célébré, par les partisans des danseuses russes, comme une victoire nationale. Cela permit à Mathilde Kschessinska d'écrire au Tsar pour lui demander d'interdire désormais à la direction des Théâtres Impériaux d'engager des danseuses étrangères; elle obtint gain de cause.

Mais entre-temps, et en dépit des obstacles qu'elles rencontraient, certaines danseuses russes parvinrent à faire reconnaître leurs mérites.

Le début du XIXe siècle vit briller par exemple Eugénie Kolossova, danseuse, mime et chanteuse, qui pouvait paraître dans un opéra aussi bien que dans un ballet. Parmi les contemporaines de Marie Taglioni, Audotia Istomina possédait beaucoup de grâce et de légèreté; ses pirouettes et son élévation étaient remarquables, et elle était de plus une mime hors pair. Elle dansa notamment dans deux ballets de Didelot, *Zéphire et Flore* et *le Prisonnier du Caucase.* Hélène Andreïanova fut la première interprète russe du rôle de Giselle;

Didelot prisait tout particulièrement Eugénie Kolossova, en raison de sa force d'expression dramatique. Quand il s'absenta de Russie pour une longue période, c'est à elle qu'il confia la direction de l'école de danse; à son retour, il y trouva de nets progrès. L'élève et la protégée de Kolossova, Maria Danilova, était si douée que, dès l'âge de 15 ans, elle obtint un immense succès dans *les Amours de Vénus et Adonis;* sa grâce aérienne et éthérée annonçait déjà Taglioni, mais elle mourut de phtisie à l'âge de 17 ans, interrompant brutalement sa carrière prometteuse.

De l'orchestre au poulailler

Les spectacles de ballet étaient extrêmement courus en Russie à la fin du XIXᵉ siècle. Les loges étaient presque toujours louées à l'année par des clubs ou des cercles privés.

Il ne faudrait cependant pas croire que le public ne comptait que des représentants des classes les plus favorisées. Certes, lors des soirées de générale, l'assemblée se composait principalement de personnalités officielles et de membres de la haute société : la famille impériale comme il se devait, les hauts dignitaires de la cour et les grands fonctionnaires de l'administration impériale ainsi que leurs épouses, et les grands noms de l'aristocratie. Ce beau monde était accueilli à l'entrée de chaque loge par un huissier vêtu d'un habit à la française tout galonné. On passait d'abord dans un petit boudoir attenant à la loge où l'on se débarrassait de ses fourrures, puis c'était l'entrée dans la salle où, dans un bruissement d'éventails et un murmure de conversation, on s'observait, se saluait, se lorgnait en attendant le lever du rideau, qui suivait l'arrivée du couple impérial.

En dehors de ces représentations de gala, le public était beaucoup plus varié. Tandis que des dames en grande toilette flanquées de leurs cavaliers en habit

occupaient les premiers rangs de l'orchestre (les « rangs endiamantés » comme les appelaient ironiquement les intellectuels), on trouvait au poulailler les étudiants et tous les gens à ressources modiques qui pouvaient là, à bas prix, satisfaire leur passion pour le ballet.

Ces spectateurs aux minces revenus étaient aussi redoutés des artistes que les privilégiés installés dans des baignoires ou des avant-scènes. Ceux-là étaient non moins avertis que ceux-ci et ne se gênaient pas pour manifester avec vigueur leur opinion, bonne ou mauvaise, sur le spectacle et sur les danseuses.

Les désaccords quelque peu bruyants qui dressaient parfois les spectateurs les uns contre les autres, ne provenaient pas des divergences de fortune ou de classe, mais ils reflétaient les goûts différents de chacun sur les qualités de la danseuse idéale, sur la valeur de la musique ou sur le mérite du ballet. Les uns venaient au théâtre, attirés par la beauté en recherchant l'émotion. Les autres mettaient la technique par-dessus tout et, ne voyant dans la danse que la maîtrise des mouvements corporels, ils appréciaient avant tout le record et l'exploit.

Les spectateurs les plus réceptifs, ceux qui ouvraient tout grands leurs yeux émerveillés pour mieux contempler le monde magique de la scène, c'étaient les enfants, qui assistaient fréquemment aux représentations de ballet : petites filles d'autrefois avec leurs longues boucles tombant sur des cols de dentelle, petits garçons en costume marin. Ils appartenaient le plus souvent à des milieux aisés, mais venaient parfois aussi de familles modestes, puisque c'est après avoir ainsi assisté à un spectacle de ballet qu'une petite fille pauvre de Saint-Pétersbourg, nommée Anna Pavlova, décida de devenir danseuse, décision qui devait la conduire jusqu'au firmament des étoiles internationales.

Parmi les jeunes garçons les plus assidus aux représentations de danse, se trouvait le jeune Alexandre Benois, un des futurs animateurs des *Ballets Russes*. Il avait persuadé ses parents de louer une vaste loge au Théâtre Marie et il y allait régulièrement avec ses frères, sœurs, cousins, cousines et amis. Dans le boudoir attenant à la loge, on servait le thé et des petits gâteaux et même, le 21 avril, le goûter d'anniversaire du jeune Alexandre qui grandissait ainsi dans l'intimité du ballet.

Les tournées à l'étranger — L'impresario

On a vu que, dès qu'une danseuse atteignait dans son pays un certain degré de renommée, elle était sollicitée par les scènes étrangères. Cette invitation prenait deux formes : ou bien l'artiste était invitée à se produire sous contrat pendant toute une saison, avec reconduction possible, ou bien on lui demandait de venir — seule ou accompagnée de sa troupe — en tournée dans un certain nombre de villes où elle ne restait que brièvement.

Les voyages, en bateau et par le train, étaient longs et pénibles. Dans des pays comme les États-Unis et l'Australie, les distances étaient immenses, et il fallait toujours s'attendre à toutes sortes d'incidents dont on ne pouvait prévoir la nature, parfois cocasses, parfois dramatiques. Une chose certaine, c'est qu'à peine sortie du train ou du bateau, même fatiguée, même affamée, même lourde de sommeil, la danseuse devait accomplir sa séance d'entraînement quotidien, puis répéter avant le spectacle. Et si l'étape suivante était longue, il fallait se hâter vers la gare, à peine la représentation terminée. Et le malheur était parfois au rendez-vous : c'est pour avoir pris froid, pendant un déraillement, que Pavlova mourut brusquement à La Haye, au cours d'une tournée.

A lui seul, le travail quotidien faisait naître toutes sortes de difficultés personnelles et professionnelles : d'une part, retard des trains ou bateaux, bagages égarés, logement dans des hôtels plus ou moins confortables, difficulté d'adaptation au climat ou à la nourriture locale entraînant des troubles physiques; d'autre part, différences considérables dans l'agencement et dans les dimensions de chaque théâtre local, qui rendaient nécessaire une adaptation de la chorégraphie et des décors; parfois même aussi, le théâtre était remplacé par un café-concert ou un cirque, ce qui rendait l'adaptation encore plus difficile — Anna Pavlova, qui fut appelée à effectuer un grand nombre de tournées dans le monde entier, dansa à l'Hippodrome de Broadway, entre le numéro des éléphants savants et celui des jongleurs.

S'il fallait retoucher des décors, ou réparer d'urgence le plancher de la scène en mauvais état, on devait harceler peintres et charpentiers pour que tout fût prêt à temps; en attendant, l'on répétait tant bien que mal au milieu des ouvriers qui traversaient la scène, au bruit des marteaux qui couvraient la musique, à moins que l'on ne se réfugiât dans les combles du théâtre où l'on étouffait ou dans les dessous pleins de poussière.

Mais la tournée avait heureusement ses bons côtés, à commencer par le salaire qui était plus élevé que celui versé par les Théâtres Impériaux, et qu'augmentaient les cadeaux offerts par les sommités et les admirateurs des villes où l'on passait.

Une grande satisfaction affective, qui comptait beaucoup pour les artistes, était dans l'accueil enthousiaste des spectateurs qui souvent, dans les petites villes d'Amérique latine, de l'Inde ou de la Nouvelle-Zélande, voyaient pour la première fois des ballets classiques et qui, pourtant, formaient un public aussi réceptif à la beauté de la danse que les audiences blasées de Paris, Milan ou Saint-Pétersbourg.

Pour avoir du succès, les tournées devaient être soigneusement organisées; c'est pourquoi la nécessité d'avoir un bon organisateur se fit de plus en plus sentir, d'où naquit la profession d'impresario. Et c'est en effet à un impresario de génie, Serge de Diaghilev, que le ballet russe dut, à l'aube du xxᵉ siècle, sa transformation profonde, en même temps que sa renommée internationale.

Il avait à Saint-Pétersbourg un cousin un peu plus âgé que lui, nommé Dimitri Filosofov, qui avait fondé, avec quelques amis de collège, un petit groupe aux prétentions artistiques « les Pickwickiens ». Leur président était le peintre Alexandre Benois, passionné de ballet, petit-fils par sa mère de ce même Alberto Cavos qui avait construit ou reconstruit tant de théâtres impériaux.

Lorsque Filosofov présenta à ses amis l'adolescent de dix-huit ans qu'était alors Serge, les Pickwickiens regardèrent le jeune provincial d'un œil amusé, sans se douter que, plus tard, ils travailleraient sous ses ordres.

Plusieurs voyages en Europe occidentale, en compagnie de son cousin, familiarisèrent Diaghilev avec l'art et la culture classiques, et il résolut de servir de trait d'union entre l'art russe et l'art occidental. Il organisa en 1906, à Paris d'abord, puis dans des capitales voisines, une exposition de peinture russe qui fut suivie en 1907 par une série de concerts de musique russe. Puis en 1908 il récidiva avec un opéra, *Boris Godounov,* de Moussorgsky, suivi en 1909 par *Ivan le Terrible* et par *le Prince Igor* (au cours duquel furent exécutées les fameuses *Danses Polovtziennes).*

Les *Ballets Russes* triomphent à Paris

Benois avait conseillé à Diaghilev d'adjoindre aux spectacles d'opéra des ballets récemment présentés au Théâtre Marie de Saint-Pétersbourg sur des chorégraphies de Michel Fokine. Il s'agissait de *Cléopâtre* avec Ida Rubinstein, Anna Pavlova, Tamara Karsavina, Michel Fokine et Vaslav Nijinski; *le Pavillon d'Armide* avec Vera Caralli, Tamara Karsavina et Nijinski; *les Sylphides* sur une musique de Chopin avec Anna Pavlova, Thamar Karsavina et Nijinski. La plupart des décors et des costumes avaient été dessinés par les ex-Pickwickiens Benois et Bakst.

Surpris, émerveillé, conquis, Paris découvrit en ce printemps 1909 une forme d'art nouvelle, par rapport non seulement à l'Occident, mais aussi à la Russie elle-même. Le tutu avait disparu de presque tous les ballets (le chorégraphe Fokine, qui le détestait, était tombé d'accord sur ce point avec Bakst et Benois). Dans *les Sylphides*, Pavlova, Karsavina, et leurs camarades avaient retrouvé le costume de Taglioni avec sa jupe souple et légère qui accompagnait si bien les mouvements des jambes. Dans *Cléopâtre*, la très belle Ida Rubinstein faisait son entrée étroitement enroulée, comme une momie, par-dessus sa tunique, de douze voiles de couleurs différentes que ses « esclaves » déroulaient lentement un par un; elle ne pouvait

d'ailleurs par bouger tant que les voiles ne lui avaient pas été retirés et il fallait l'apporter sur la scène étendue dans un sarcophage peint.

Les décors vigoureux et dépouillés de Nicolas Roerich pour *le Prince Igor* apparaissaient en contraste si frappant avec le style maniéré qui était alors de mode à l'époque, les costumes dessinés par Bakst, Benois, Bilibine et Korovine pour le divertissement final étaient si somptueux que les spectateurs parisiens en eurent le souffle coupé.

Mais ce qui les étonna le plus, ce furent les innovations apportées dans les mouvements des danseurs par ce très grand maître qu'était Michel Fokine.

La chorégraphie des *Sylphides* ne racontait pas une histoire, ne comportait pas de personnages bons ou méchants ni d'intrigue amoureuse; il n'y avait que des danseuses et un danseur qui évoluaient au rythme de la musique de Chopin, laissant à chaque spectateur le soin d'imaginer sa propre version de l'action. En outre, tous les pas de virtuosité pure avaient été bannis, car ce ballet n'avait pas pour objet de faire montre de technique, mais bien de créer une atmosphère. Ceci ne l'empêchait pas d'être techniquement très difficile à exécuter.

Dans *Cléopâtre,* les danseuses ne portaient pas de chaussons à bout renforcé, et ne montaient pas sur les

l'Oiseau de Feu

Parade

56

Karsavina, Diaghilev et Nijinski

La grande surprise qui attendait les Parisiens en cette première saison des *Ballets Russes,* c'était le renouveau de l'importance prise par le danseur, en la personne fulgurante de Nijinski, qui n'était plus là comme un comparse uniquement destiné à faire valoir les grâces de sa partenaire féminine, mais qui était redevenu son égal, comme au temps de Vestris, de Didelot et de Perrot.

pointes; elles ne prenaient non plus aucune des cinq positions classiques des pieds ni des bras. Mais dans la bacchanale dansée devant Cléopâtre par des esclaves grecques, Fokine avait introduit toutes les poses plastiques qu'il avait si souvent étudiées sur les sculptures et les vases grecs.

Quant au *Pavillon d'Armide,* dont l'action se déroulait en France au XVIIIe siècle, Fokine avait estimé avec raison que l'expression classique était la mieux adaptée au sujet.

Les *Ballets Russes* étaient désormais chez eux, à Paris. Au cours des années successives, ils y créèrent des œuvres prestigieuses et variées comme l'*Oiseau de Feu,* sujet tiré par Fokine d'un conte de fées russes, mis en musique par Stravinski, et qui permit à Bakst d'imaginer pour Karsavina un costume splendide au plumage chatoyant; cette œuvre fut créée en 1910 à la salle Garnier, de même que *Schéhérazade,* sur un livret de Benois et une musique de Rimski-Korsakov.

Au Châtelet, Fokine monta, en 1911, *Pétrouchka,* un ballet burlesque basé sur le folklore russe et mis en musique par Stravinski. Puis en 1917, c'est Léonide Massine qui fit la chorégraphie de *Parade,* ballet réaliste dont le livret était de Jean Cocteau, la musique d'Éric Satie et le décor de Pablo Picasso.

la Péri

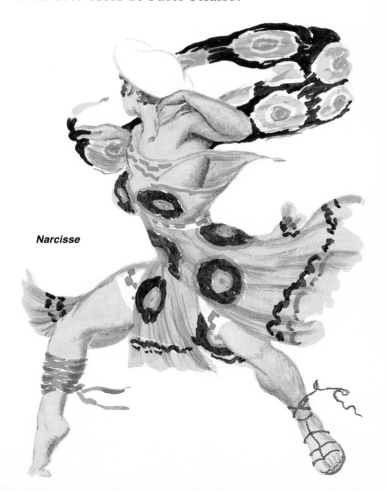

Narcisse

Table alphabétique

Adagio : mouvement de danse lent (contraire : **Allegro**).

Adam (Adolphe) (1803-1856) : compositeur français; composa plusieurs ballets, dont *Giselle ou les Willis* (1841).

Allégorie : suite d'éléments par lesquels on exprime concrètement et minutieusement une idée abstraite.

Allegro : mouvement assez rapide.

Andante : mouvement modéré; -- **gracioso :** mouvement modéré et gracieux.

Andréïanova (Hélène) (1819-1857) : danseuse russe qui fut la première Giselle russe.

Arabesque : position fondamentale de la danse classique, le corps, de profil, repose sur une jambe, l'autre jambe est étendue en arrière à 90 degrés, les bras prennent des positions harmonieuses diverses.

Attitude : façon de tenir son corps; -- **croisée :** le corps, d'abord de face, vire de 45 degrés; -- **écartée :** une jambe est levée en oblique par rapport au sol; -- **effacée :** la danseuse, d'abord de face, vire son corps et une jambe d'un demi-cercle, mais sans croiser les jambes, la jambe qui travaille étant étendue en avant ou en arrière; -- **relevée :** la danseuse s'élève sur les pointes et reprend aussitôt sa position initiale.

Auber (Daniel) (1782-1871) : compositeur français, auteur de nombreux opéras où la partie dansée était importante.

Avant-scène : loge placée près de la scène.

Bacchanale : danse échevelée en l'honneur de Bacchus, dieu du vin et des vendanges.

Baignoire : loge de rez-de-chaussée.

Bakst (Léon) (1866-1924) : peintre et décorateur russe, collabora notamment à la création de *Cléopâtre* (1909), *le Carnaval* et *Schéhérazade* (1910), *le Spectre de la Rose* (1911), *l'Après-midi d'un Faune* (1912), etc.

Baladin : artiste faisant partie d'une troupe ambulante.

Ballerina (prima) : v. **Danseuse étoile.**

Ballet : représentation scénique au moyen de la danse, du geste et de la musique; -- **d'action :** dont le sujet est la représentation d'une histoire; -- **mythologique :** dont le sujet est tiré de la mythologie; -- **comédie-ballet, opéra-ballet, tragédie-ballet :** comédie, opéra, tragédie dont les scènes sont entremêlées de danses.

Ballon : légèreté avec laquelle la danseuse exécute des sauts.

Batterie : agilité avec laquelle la danseuse bat les pieds l'un contre l'autre pendant qu'elle exécute un saut.

Bayadère : danseuse de l'Inde.

Bénéfice : représentation dont la Direction du théâtre abandonne le gain à l'artiste qu'elle veut honorer.

Benois (Alexandre) (1870-1960) : peintre et décorateur russe; ses décors de ballet les plus célèbres furent *le Pavillon d'Armide* (1907) et *Pétrouchka* (1911) dont il écrivit les scénarios; faisait partie d'une dynastie d'artistes, parmi lesquels son grand-père Albert Cavos, son fils Nicolas Benois (décorateur en chef à la Scala de Milan), sa nièce Nadia Benois, (décoratrice et mère de l'auteur-acteur Peter Ustinov).

Blasis (Carlo) (1797-1878) : danseur, chorégraphe et maître de ballet italien, élève de Dauberval, directeur de l'école de Milan en 1837, auteur de plusieurs livres sur la danse.

Boyard : noble de l'ancienne Russie.

Brianza (Carlotta) (1867-1930) : danseuse italienne, créa le rôle d'Aurore dans *la Belle au Bois dormant* de Petipa à Saint-Pétersbourg (1890); maîtresse de ballet à l'Opéra de Paris.

Brio : exécution brillante et aisée.

Brodequin : chaussure emboîtant le pied et la cheville.

Cabale : association de personnes qui complotent contre quelqu'un.

Cabriole : mouvement de grande batterie; une jambe est étendue à 45 ou 90 degrés; la danseuse, en sautant, vient battre cette jambe de son autre jambe également étendue.

Cachet : rétribution de l'artiste pour sa prestation.

Café-concert : café où l'on peut voir des attractions et des spectacles de variétés.

Camargo (Marie) (1710-1770) : danseuse française, particulièrement douée pour la batterie.

Cavos (Albert) : architecte russe du XIXᵉ siècle, a construit ou reconstruit de nombreux théâtres.

Cerrito (Fanny) (1817-1909) : une des plus grandes danseuses de l'époque romantique, dansa dans *le Pas de Quatre* (1845) et dans *le Jugement de Paris* (1846).

Choréauteur : v. **Chorégraphe.**

Chorégraphe : celui qui agence les pas et les figures de danse d'un ballet.

Chorégraphie : art d'agencer un ballet.

Cintres : partie du théâtre entre le décor et les combles.

Coda : v. **Finale.**

Combles : partie du bâtiment située sous les toits.

Comparse : artiste dont le rôle est insignifiant.

Contrepoids : poids qui contrebalance un autre poids.

Corps de ballet : ensemble des danseurs et danseuses situés au plus bas degré de la hiérarchie.

Corrigane (aussi **Korrigane**) : esprit malfaisant des légendes bretonnes.

Coryphée : danseuse occupant dans la hiérarchie le rang immédiatement supérieur à celui du corps de ballet.

Danilova (Maria) (1793-1810), danseuse russe, élève de Didelot, eut un énorme succès à l'âge de quinze ans, mourut à dix-sept ans.

Danseuse étoile : le plus haut grade de la hiérarchie.

Dauberval (Jean Bercher, dit) (1742-1806) : danseur, maître de ballet et chorégraphe français, créa notamment *la Fille mal Gardée*.

Delibes (Léo) (1836-1891) : compositeur français, composa notamment *Coppélia* (1870) et *Sylvia* (1876).

Dessous : étages situés sous la scène.

Diaghilev (Serge de) (1872-1929) : impresario russe, créateur de la compagnie des *Ballets Russes*, connut son plus grand triomphe à Paris en mai et juin 1909.

Didelot (Charles) (1767-1837) : danseur, maître de ballet et chorégraphe français, travailla à deux reprises à Saint-Pétersbourg (1801-1811 et 1816-1828), créa notamment *Flore et Zéphire*, et *le Prisonnier du Caucase*, basé sur un poème de Pouchkine.

Dryade : divinité des forêts dans la Grèce ancienne.

Élévation : capacité d'atteindre une certaine hauteur en sautant.

Elssler (Fanny) (1810-1884) : danseuse autrichienne, une des plus grandes étoiles du Romantisme, triompha à Saint-Pétersbourg et à Moscou.

Entrechat : saut pendant lequel on frappe rapidement les pieds l'un contre l'autre.

Entrée : premier numéro d'une suite de danses.

Ferraris (Amalia) (1830-1904) : danseuse italienne, élève de Blasis.

Finale : dernier numéro d'une suite de danses.

Flageolet : sorte de flûte.

Flore : déesse des fleurs dans la mythologie romaine.

Fokine (Michel) (1880-1942) : danseur et chorégraphe russe, a créé pour les Ballets Russes notamment *le Pavillon d'Armide, les Sylphides, le Carnaval, l'Oiseau de Feu, le Spectre de la Rose, Pétrouchka*, créa *la Mort du Cygne* pour Anna Pavlova.

Furie : divinité des Enfers.

Gautier (Théophile) (1811-1872) : écrivain français qui écrivit pour la Grisi le scénario de *Giselle ou les Willis*.

Gluck (Christophe) (1714-1787) : compositeur allemand, auteur d'opéras dont certains comportent des ballets avec de nombreux personnages.

Grand jeté : grand saut d'une jambe sur l'autre.

Grahn (Lucile) (1819-1907) : danseuse danoise qui fit une carrière internationale; participa au *Pas de Quatre* et au *Jugement de Paris*.

Grisi (Carlotta) (1819-1899) : danseuse italienne, élève de Perrot, créatrice du rôle de Giselle dans le ballet de ce nom; l'une des danseuses du *Pas de Quatre* (1845).

Guimard (Marie-Madeleine) (1743-1816) : danseuse française qui dansa des rôles de bergère dans de nombreux ballets.

Impresario (pl. **Impresarii**) : organisateur de spectacles.

Istomina (Audotia) (1799-1848) : danseuse russe, élève de Didelot, célébrée par le poète Pouchkine dans son roman en vers *Eugène Onéguine*.

Ivanov (Léon) (1834-1901) : danseur, maître de ballet et chorégraphe russe, collabora avec Petipa à la création de *Casse-Noisette* et du *Lac des Cygnes*.

Jones (Inigo) (1573-1652) : architecte et décorateur anglais.

Karsavina (Thamar) (1885-xxxx) : danseuse russe, fille du danseur et professeur Platon Karsavine, créa notamment *l'Oiseau de Feu* et le rôle de la Jeune Fille dans *le Spectre de la Rose*.

Kolossova (Eugénie) (1780-1869) : danseuse et professeur russe.

Kschessinska (Mathilde) (1872-1971) : danseuse russe, fille du danseur Félix Kschessinski, très brillante technicienne, ouvrit une école à Paris en 1929.

Landé (Jean-Baptiste) (mort en 1748) : danseur et maître de ballet français, fonda en 1738 l'École de ballet, ancêtre de l'École impériale de Saint-Pétersbourg.

Legnani (Pierina) (1863-1923) : danseuse italienne qui fut la première à exécuter une série de 32 fouettés sur place; créatrice du rôle d'Odile-Odette dans *le Lac des Cygnes*.

Le Pic (Charles) (1744-1806) : danseur et chorégraphe français, directeur des ballets de Saint-Pétersbourg (1786-1798).

Librettiste : auteur de livrets.

Livret : texte d'après lequel est écrite la musique d'une œuvre.

Livri (E. Marie Emarot, dite Emma) (1842-1863) : danseuse française, protégée de Taglioni, morte des suites d'un incendie.

Lulli (Jean-Baptiste) (1632-1687) : danseur et compositeur; composa la musique de nombreuses comédies-ballets dont la plus célèbre est *le Bourgeois Gentilhomme* (1670) sur un livret de Molière.

Machinerie : ensemble des machines qui permettent de déplacer les décors et de produire les effets scéniques.

Machiniste : ouvrier affecté à la machinerie.

Maître de ballet : personnage chargé de la surveillance des répétitions.

Marchand (Colette) : danseuse française née en 1925.

Mascarade : divertissement dont les protagonistes sont déguisés et masqués.

Massine (Léonide) : danseur, chorégraphe, maître de ballet et professeur russe né en 1895, fit partie des *Ballets Russes* de Diaghilev, puis créa sa propre troupe.

Messager (André) (1853-1929) : auteur d'opérettes et aussi de ballets comme *les Deux Pigeons*.

Mime : acteur qui s'exprime sans paroles, uniquement par des jeux de physionomie et des attitudes corporelles.

Mise en scène : mise en place de la représentation (décors, jeu des acteurs, etc.).

Monteverdi (Claudio) (1567-1643) : compositeur italien, «père» de l'Opéra, avec *Orphée, Poppée* et *Ariane*.

Morphologie : science de la structure et des formes d'un être vivant.

Mouraviova (Marfa) (1838-1879) : danseuse russe très admirée dans les grands rôles romantiques.

Moussorgski (Modeste) (1839-1881) : compositeur russe dont la musique inspira plusieurs chorégraphes.

Mozart (Wolfgang) (1756-1791) : compositeur autrichien, écrivit plusieurs opéras qui comportent des ballets.

Néo-classique : qui concerne un art imité de l'antiquité gréco-latine.

Nijinski (Vaslav) (1889-1950) : danseur d'origine polonaise, l'un des plus grands artistes de tous les temps, vedette des *Ballets Russes*, créa *le Spectre de la Rose, l'Après-midi d'un Faune, le Sacre du Printemps,* etc.

Nodier (Charles) (1780-1844) : écrivain français, auteur du conte *Trilby ou le Lutin du Foyer* sur lequel est basé le livret du célèbre ballet romantique *la Sylphide* créé par Marie Taglioni à Paris en 1832.

Orchestration : combinaison, dans une œuvre musicale, des différentes parties attribuées aux divers instruments de l'orchestre.

Orchestre : 1°) groupe de plusieurs musiciens jouant ensemble de plusieurs instruments; 2°) dans une salle de spectacle, places situées au rez-de-chaussée près de la scène.

Paniers : armature glissée sous une jupe pour la faire bouffer.

Pantomime : spectacle où les attitudes corporelles et les jeux de physionomie remplacent la parole.

Paradis : v. Poulailler.

Pas : 1°) chacun des mouvements exécutés avec les pieds, par exemple, -- **chassé** : qui s'exécute au ras du sol, un pied poussant l'autre; -- **coupé** : pas intermédiaire servant de préparation à un autre pas; -- **fouetté** : consiste à pivoter sans arrêt sur une pointe, la jambe libre étant ouverte à 45 degrés; -- **jeté** : saut d'une jambe sur l'autre; -- **jeté battu** : jeté accompagné d'un battement de jambe; -- **plié** : indique une légère flexion des genoux; 2°) ensemble de mouvements composant une figure de danse, par exemple : -- **de basque** : s'exécute en trois temps, le pieds qui ne supporte pas le corps glisse en avant, tourne en demi-cercle et termine par une glissade à l'arrière; -- **de bourrée** : mouvement en trois temps : au premier temps le pied est à plat, aux deuxième et troisième temps, la danseuse se dresse sur les pointes; -- **de chat** : série de sauts latéraux, genoux très pliés, pointés vers l'extérieur, pieds rassemblés sous le corps; 3°) épisode du ballet exécuté par un ou quelques danseurs, par exemple : -- **seul** (ou **solo**) : exécuté par une seule danseuse, généralement la danseuse étoile; -- **de deux** : exécuté par deux danseuses ou par la danseuse et son cavalier; -- **de quatre, de six, de trois,** etc. : pas exécuté par trois, quatre, six danseuses, etc.

Pavlova (Anna) (1881-1931) : danseuse russe, une des plus grandes artistes de son temps, dont le nom est inséparable de *la Mort du Cygne*.

Péri : fée dans les légendes arabes.

Perrot (Jules) (1810-1892) : danseur, chorégraphe et maître de ballet français, créa notamment *le Pas de Quatre* et *le Jugement de Paris;* maître de ballet à Saint-Pétersbourg (1851-1858).

Petipa (Marius) (1818-1910) : danseur français, fils, frère, époux et père de danseurs ou danseuses, maître de ballet et surtout le plus grand chorégraphe de son temps, travailla pendant 50 ans pour les théâtres impériaux de Saint-Pétersbourg et de Moscou. Ses ballets les plus célèbres, *la Belle au Bois Dormant* et *le Lac des Cygnes* sont encore dansés aujourd'hui.

Physiologie : étude du fonctionnement des êtres vivants.

Picasso (Pablo) (1881-1973) : Peintre espagnol, composa plusieurs décors de ballets, notamment pour Diaghilev.

Pirouette : la danseuse, dressée sur la pointe ou la demi-pointe, exécute un ou plusieurs tours, la jambe qui ne supporte pas le corps étant repliée sur l'autre.

Plateau : synonyme de scène.

Pointe : le pied est dressé sur l'extrémité des orteils; **demi** -- : le pied ne repose que sur les phalanges des orteils.

Position : manière dont une personne se tient; -- des bras, des mains (voir page 34).

Postulant : celui qui sollicite une situation.

Poulailler : places situées le plus haut dans un théâtre, sans confort et à très bon marché.

Poulie : roue dont la jante creuse laisse passer une corde terminée par un crochet et qui permet de déplacer les décors.

Pourpoint : sorte de tunique courte (portée par les hommes).

Préobrajenska (Olga) (1870-1962) : danseuse russe, technicienne remarquable, ouvrit une école à Paris.

Pschent : coiffure des pharaons dans l'ancienne Egypte.

Pugni (César) (1805-1870) : compositeur italien, composa la musique de nombreux ballets, notamment *le Pas de Quatre, le Petit Cheval Bossu, la Fille du Pharaon;* travailla pour les ballets de Saint-Péterbourg de 1851 à sa mort.

Quinquet : lampe à huile dont la flamme était protégée par un tube de verre.

Rameau (Jean-Philippe) (1683-1764) : compositeur français, auteur d'un grand nombre d'opéras-ballets, dont *les Indes Galantes.*

Rampe : rang de lumières qui bordent la scène.

Reprise : nouvelle exécution d'un spectacle.

Rimski-Korsakov (Nicolas) (1844-1908) : compositeur russe dont certaines œuvres ont servi de musique de ballet à des chorégraphes, par exemple *la Suite Symphonique* dont Fokine a tiré *Schéhérazade.*

Rosati (Caroline Galletti, épouse de Francesco) (1826-1905) : danseuse italienne douée d'une présence dramatique intense, créa à Saint-Pétersbourg *la Fille du Pharaon.*

Roslavleva (Lioubov) (1874-1904) : danseuse russe de l'école de Moscou.

Rubinstein (Ida) (1885-1960) : danseuse, actrice et mime russe, créatrice du rôle de Zobéide dans le ballet *Schéhérazade* (Paris 1910).

Saint-Léon (Arthur) 1821-1870) : danseur, chorégraphe, maître de ballet et professeur français, époux de Fanny Cerrito; on lui doit *Coppélia;* maître de ballet à Saint-Pétersbourg de 1859 à 1869.

Sallé (Marie) (1707-1756) : danseuse française, rivale de Camargo; lança la mode des tuniques de mousseline.

Sankovska (Catherine) (1816-1878) : danseuse russe de l'école de Moscou.

Sarcophage : tombeau antique en pierre.

Satie (Éric) (1866-1925) : compositeur français, auteur de la musique de *Parade.*

Sélection : tri des individus en vue de choisir le mieux adapté.

Serf : individu privé d'une partie de sa capacité juridique, dans une position intermédiaire entre l'esclave et l'homme libre.

Sokolova (Eugénie) (1850-1925) : danseuse russe, professeur notamment de Pavlova et de Karsavina.

Solo : v. **Pas seul.**

Stravinski (Igor) (1882-1971) : compositeur à qui on doit la musique de nombreux ballets, dont *l'Oiseau de Feu, Pétrouchka* et *le Sacre du Printemps.*

Sylphide : divinité de l'air de la mythologie germanique.

Taglioni (Marie) (1804-1884) : danseuse italienne à la grâce éthérée, créatrice de *la Sylphide,* dansa à Saint-Pétersbourg de 1837 à 1842. Elle était la fille du danseur et chorégraphe Philippe Taglioni.

Tchaïkovski (Pierre) (1840-1893) : compositeur russe, auteur de la musique du *Lac des Cygnes,* de *la Belle au Bois Dormant* et de *Casse-Noisette.*

Tempo : indication du rythme et de la vitesse d'un mouvement.

Thème : 1°) sujet d'une histoire, d'un spectacle; 2°) motif musical servant de base à diverses variations.

Treuil : appareil de levage, composé d'un tambour autour duquel on enroule une corde à l'aide d'une manivelle.

Trompe-l'œil : peinture créant l'illusion d'objets réels en relief.

Tsar : empereur de Russie.

Tsarine : 1°) épouse d'un tsar; 2°) impératrice de Russie.

Tutu : courte jupe blanche en tulle ou en tarlatane, formée de quatre volants superposés de façon à faire bouffer l'ensemble.

Vestris (Auguste) (1760-1842) : danseur français, fils, frère et père de danseurs, le plus grand danseur de son temps; eut comme élèves Didelot, Perrot et Taglioni.

Wagner (Richard) (1813-1883) : compositeur allemand, auteur de nombreux opéras, notamment *Tannhäuser,* dont la *Bacchanale* a servi à illustrer des ballets.

Wahlberg (Ivan) (1766-1819) : danseur, chorégraphe, maître de ballet et professeur russe, directeur de l'école de danse de Saint-Pétersbourg en 1794, réorganisateur de l'école de danse de Moscou, auteur de nombreux ballets à thèmes patriotiques.

Zambelli (Carlotta) (1875-1968) : danseuse italienne qui devint l'étoile de l'Opéra de Paris; dansa à Saint-Pétersbourg en 1901; termina sa carrière comme professeur à l'Opéra de Paris.

Zéphyre : divinité de l'air dans la mythologie grecque antique.

Zucchi (Virginie) 1847-1930) : danseuse italienne alliant une technique brillante à une grande présence dramatique; dansa à Saint-Pétersbourg de 1885 à 1892; ouvrit une école de danse à Monte-Carlo.

Chronologie

1469 Mariage de Laurent de Médicis : cortège, tournoi, mascarade allégorique créée et exécutée par les plus grands peintres et les plus grands sculpteurs de l'époque, évoquant en chansons et en tableaux vivants les gloires de l'Antiquité.

1533 Mariage de Catherine de Médicis (descendante de Laurent) avec le futur Henri II; elle apporte en France la mode des divertissements à l'italienne.

1580 L'histoire du ballet tel que nous le connaissons aujourd'hui commence le 15 octobre 1580, lorsque Beaujoyeux (musicien et maître de danse d'origine italienne) présente à la cour d'Henri III *le Ballet Comique de la Reine* à l'occasion du mariage de la belle-sœur du roi avec le duc de Joyeuse : le spectacle qui amalgame la danse, la musique et la représentation scénique à la française et à l'italienne constitue un tout cohérent et original qui servira de modèle à l'Europe pendant plus de trois siècles.

1653 Louis XIV danse le Roi Soleil dans *le Ballet de la Nuit* composé en partie par Lulli.

1661 Louis XIV fonde l'Académie Royale de Danse.

1669 Louis XIV délivre les lettres patentes de fondation d'un théâtre où l'on présentera les opéras et les drames musicaux : c'est l'Académie Royale de Danse et de Musique, appelée aujourd'hui l'Opéra, qui dure depuis plus de 300 ans.

1671 Pierre Beauchamp, maître à danser du roi, devient le premier maître de ballet de l'Académie; la danse cesse d'être un divertissement de cour pour devenir une profession.

1681 *Le Triomphe de l'Amour,* de Lulli, présenté au château de Saint-Germain, est le premier ballet dans lequel apparaissent des danseuses professionnelles; en effet il fut repris à l'Académie Royale où Mlle Lafontaine, première danseuse de l'histoire du ballet, y fit ses débuts.

1726 Marie Camargo fait ses débuts à l'Opéra.

1727 Marie Sallé fait ses débuts à l'Opéra.

1735 Création à l'Opéra des *Indes Galantes,* opéra-ballet de Rameau, avec Dupré, Camargo et Sallé. — Ouverture de l'Académie Impériale de Danse de Saint-Pétersbourg, sur l'ordre de l'impératrice Anne, qui veut faire apprendre la danse aux cadets de l'école militaire pour remplacer les artistes étrangers à la cour de Russie. Le Français J.B. Landé en devient le premier directeur.

1751 Noverre monte son premier ballet, *les Fêtes Chinoises.*

1760 Naissance du grand danseur français Auguste Vestris qui aura pour élèves Didelot, Perrot, Grisi, Elssler et bien d'autres danseuses et danseurs.

1761 *Don Juan,* un ballet-pantomime sur une musique de Gluck, est créé à Vienne.

1772 Dans *l'Encyclopédie* de Diderot et d'Alembert, le ballet est défini comme étant une action exprimée par la danse.

1776 Noverre est nommé maître de ballet à l'Opéra, à la demande de Marie-Antoinette dont il avait été le maître de danse à la cour d'Autriche.

1778 Création à l'Opéra du ballet de Mozart *les Petits Riens.*

1783 Le théâtre Bolchoï est inauguré à Saint-Pétersbourg.

1786 Création à Bordeaux de *la Fille mal Gardée,* de Dauberval; ce ballet comique est resté un modèle du genre.

1801 Didelot devient chorégraphe des théâtres impériaux russes; il sera surnommé «le père du ballet russe».

1816 Didelot devient le premier maître de ballet des Théâtres Impériaux; il établira au conservatoire impérial le système d'enseignement et les techniques qui en feront une école de ballet prestigieuse.

1822 Le 6 février, à Paris, l'Opéra utilise l'éclairage au gaz; cette innovation d'une lumière douce et tamisée contribua à mettre en valeur les scènes de nuit du ballet romantique. — Débuts, à Vienne, de Marie Taglioni et de Fanny Elssler.

1825 Le théâtre Bolchoï de Moscou ouvre ses portes le 18 janvier.

1830 Création à l'Opéra du ballet *le Dieu et la Bayadère,* musique d'Auber, livret de Scribe et chorégraphie de Philippe Taglioni, avec comme vedette Marie Taglioni. — La jupe bouffante en gaze vaporeuse tombant à mi-mollet fait son apparition à l'Opéra, portée par Marie Taglioni. — Perrot fait ses débuts à l'Opéra.

1832 Création à l'Opéra de *la Sylphide* par Marie Taglioni.

1835 Publication à Copenhague du premier volume des *Contes* d'Andersen.

1837 Débuts à Saint-Pétersbourg, dans *la Sylphide,* de Marie Taglioni qui restera quatre ans en Russie.

1843 Débuts à Saint-Pétersbourg de Lucile Grahn dans *Giselle.*

1845 Taglioni, Grisi, Cerrito et Grahn paraissent ensemble dans le *Pas de Quatre,* musique de Pugni, chorégraphie de Perrot. — Hélène Adreianova danse à l'Opéra; c'est la première ballerine russe invitée à Paris.

1847 Marius Petipa débute à Saint-Pétersbourg comme premier danseur.

1848 Débuts de Fanny Elssler, en Russie, dans *Giselle.*

1851 Perrot devient maître de ballet des Théâtres Impériaux où il restera jusqu'en 1859. — Débuts de Grisi en Russie dans *Giselle.* — L'Italien César Pugni est nommé compositeur officiel des Théâtres Impériaux et il écrira la musique de plus de trois cents ballets.

1855 Débuts de Cerrito à Saint-Pétersbourg.

1859 Arthur Saint-Léon fait ses débuts à Saint-Pétersbourg, où il deviendra maître de ballet; il ne quittera la Russie qu'en 1867 pour revenir à Paris, en qualité de maître de ballet à l'Opéra.

1860 Le théâtre Marie ouvre ses portes à Saint-Pétersbourg, le 14 octobre.

1862 Création de *la Fille du Pharaon,* musique de Pugni, chorégraphie de Petipa, spectacle monumental mettant en scène des centaines de danseurs qui évoluent dans le désert, dans les Pyramides, dans un palais colossal, etc.

1864 Le Français Saint-Léon et l'Italien Pugni créent le premier ballet basé sur un thème folklorique russe, *le Petit Cheval Bossu.*

1870 Création à l'Opéra de *Coppélia,* sur une musique de Léo Delibes.

1875 Inauguration, le 5 janvier, de la Salle Garnier (depuis sa fondation en 1669, l'Académie de Musique et de Danse s'était jusqu'à ce jour logée dans onze salles différentes).

1877 Création au Bolchoï de Moscou du *Lac des Cygnes,* composé par Tchaïkovski, dans une première version qui n'eut aucun succès.

1885 Virginie Zucchi fait ses débuts en Russie. — Léon Ivanov est nommé maître de ballet en second des théâtres impériaux.

1889 Olga Préobrajenska sort du conservatoire impérial, et entre au théâtre Marie où elle restera jusqu'en 1917 (elle ouvrira ensuite à Paris un cours de danse).

1890 Création au théâtre Marie de *la Belle au Bois Dormant,* musique de Tchaïkovski et chorégraphie de Petipa.

1895 Petipa et Ivanov reprennent le thème du *Lac des Cygnes* et créent sur la musique de Tchaïkovski une chorégraphie entièrement nouvelle.

1899 Débuts d'Anna Pavlova au théâtre Marie. — Fondation à Saint-Pétersbourg par Diaghilev, Bakst et Benois de la revue *le Monde des Arts.*

1900 Nijinski entre au conservatoire impérial de Saint-Pétersbourg.

1902 Débuts de Thamar Karsavina.

1905 Anna Pavlova danse pour la première fois, à Saint-Pétersbourg, *la Mort du Cygne,* musique de Saint-Saëns et chorégraphie de Fokine.

1906 Création au théâtre Marie du ballet *Eunice,* sur une chorégraphie de Fokine inspirée par les danseurs peints sur les vases grecs antiques; les danseurs, pieds nus, sont vêtus de tuniques flottantes.

1909 Première, au théâtre du Châtelet, des *Ballets Russes* de Serge de Diaghilev; *le Pavillon d'Armide* et *le Prince Igor* obtiennent un succès foudroyant; sous l'impulsion de Fokine, le décor devient un élément essentiel du ballet au même titre que la musique et la danse; parmi les spectacles, on compte aussi *les Sylphides,* musique de Chopin, décors de Benois, chorégraphie de Fokine, avec Pavlova, Karsavina et Nijinski.

1911 Création à Paris de *Pétrouchka.*

1913 Anna Pavlova démissionne du théâtre Marie et quitte la Russie pour toujours.